Boas Maneiras & Sucesso nos Negócios

Um guia prático de etiqueta para executivos

CELIA RIBEIRO

Boas Maneiras & Sucesso nos Negócios

Um guia prático de etiqueta para executivos

L&PM EDITORES

capa: Ivan G. Pinheiro Machado
foto da capa: Fernando Bueno

revisão de original: Rosa Suzana Ferreira
revisão: José Renato Deitos
ilustrações: Fernando Gonda

ISBN 85-254-0414-4

R484b Ribeiro, Celia
Boas maneiras & sucesso nos negócios: um guia prático de etiqueta para executivos/ Celia Ribeiro. – Porto Alegre : L&PM, 1993.
200 p. : il. ; 21 cm.

1. Etiqueta-Executivos. I. Título.

CDD 395
CDU 395:331-057.162

Catalogação elaborada por Izabel A. Merlo, CRB 10/329.

Matriz: Rua Nova York, 306 - 90550-070 - Porto Alegre - RS
Filial: Rua Catão 559, São Paulo - SP

Impresso no Brasil
Inverno de 1993

SUMÁRIO

Para Lauro Schirmer
meu companheiro de uma vida
em que o jornalismo
tem sido sempre
um ponto de encontro

PREFÁCIO

Este guia de etiqueta voltado para executivos começou a nascer, há três anos, quando eu estava escrevendo *Etiqueta na Prática.* À medida que iam sendo desenvolvidos os assuntos de boas maneiras, sem me dar conta, por várias vezes enveredava pelo comportamento na vida profissional. Fui cortando, pois senti que o tema exigiria um tratamento especial e daria um outro livro, com as premissas de conduta social contidas no primeiro. A própria receptividade e abrangência do público que acolheu *Etiqueta na Prática,* com manifestações de jovens executivos, médicos e outros profissionais liberais interessados em obter mais segurança no convívio social e nas relações decorrentes do trabalho, me estimularam à elaboração de *Boas Maneiras & Sucesso nos Negócios.*

Este livro é o resultado de uma longa pesquisa. Da bibliografia existente no Primeiro Mundo, selecionei vários títulos para consulta, e para quem for a Nova Iorque aconselho uma visita à livraria da American Management Association – 135 West 50th Street, onde se encontram livros da área de etiqueta e comportamento editados pela própria Amacom. Fiz contatos com universidades americanas para saber o que lá estão fazendo em relação à etiqueta. Ainda que não conste como matéria do currículo dos cursos, suas livrarias estão cheias de livros especializados e na Joseph M. Katz Graduate School of Business da Universidade de Pittsburg são realizados workshops sobre comportamento e boas maneiras.

Boas Maneiras & Sucesso nos Negócios é uma revisão das relações interpessoais dos executivos sob uma ótica internacional, mas o livro está embasado na realidade cultural do profissional brasileiro. Para isso, recolhi depoimentos através de dezenas de entrevistas com empresários experientes e executivos de sucesso, professores e estudantes brasileiros. Recém saídos das universidades ou começando a sentir o sabor do sucesso em início de carreira, rapazes e moças me acolheram, discutindo suas inquietudes. Fui ao encontro de sua problemática comportamental, para conhecer as dúvidas e respondê-las aqui.

A palavra executivo é usada, em toda esta obra, identificando os profissionais que atuam na área de negócios, em geral. A acepção do termo é muito ampla e executivos não são apenas empresários, donos ou diretores de empresas, mas gerentes, secretárias, relações públicas e tantos outros ocupantes de funções com representatividade externa ou interna numa organização. Todos vão encontrar aqui – espero – respostas a muitas das suas indagações.

Junto às pesquisas realizadas, trago também para estas páginas minha experiência pessoal ao longo de mais de 20 anos, atuando como jornalista na Rede Brasil Sul. Aliás, houve momentos em que me senti fazendo uma imensa reportagem, a partir das entrevistas com tanta gente a quem fiz perguntas as mais variadas. Desde a que indagava de um jovem "o que gostaria de ter sabido antes de sua primeira entrevista para emprego?" até a dirigida a uma bem-sucedida empresária para saber se "ser mulher atrapalhou o início de sua vida profissional?".

Acredito que este livro poderá se tornar um instrumento proveitoso de consulta. Ele não estabelece regras rígidas de comportamento, nem recomendações para serem religiosamente cumpridas. Ninguém pode ser perfeito. Mas nos dez capítulos que compõem este guia de etiqueta para homens e mulheres executivos, tenho certeza, poderão ser extraídos referenciais muito importantes, porque até para errar se precisa saber o que é certo. Também os gestos espontâneos que aproximam os homens de negócios surgem da segurança em saber não só aproveitar o momento mas como aproveitá-lo.

Aconselho aos meus jovens leitores que, desde cedo, cultivem amizades com pessoas de outras profissiões para um enriquecedor diálogo. Aqueles que gostam do que fazem têm maior compreensão e empatia pelos ideais dos amigos. Este livro é uma prova disto, porque é fruto também do apoio de muitos amigos.

Meus agradecimentos ao professor Francisco de Araujo Santos (UFRGS) que, na sua visão acadêmica voltada para a Administração de Empresa, me incentivou a realizar este projeto. Ele me indicou caminhos através de leituras especializadas na moderna filosofia empresarial, das quais tirei grande proveito, colocando as boas maneiras como quesito essencial na qualidade de vida no trabalho.

À jornalista Eunice Jacques, colega de uma longa trajetória em *Zero Hora,* agradeço a colaboração na leitura crítica. A José Antonio Pinheiro Machado, Luiz Inácio Medeiros e Rui Spohr sinto-me grata pelas longas conversas a respeito de cardápios, protocolo e visual. Finalmente, em especial, obrigada a todos meus prestimosos entrevistados, de Porto Alegre, São Paulo e Rio de Janeiro, cujos nomes estão relacionados no final deste livro.

Meu entusiasmo encontrou eco entre todos eles, corresponsáveis também por este projeto que passa a ser dividido, a partir de agora, com novos parceiros: os leitores. Que eles aqui encontrem indicações úteis para chegar ao sucesso com boas maneiras, lembrando uma definição do filósofo inglês Francis Bacon (1561-1626): "O comportamento é o vestido do espírito e deve ter as características deste."

CELIA RIBEIRO
Porto Alegre, agosto de 1993

O Diferencial da Etiqueta

Nos meios acadêmicos, já está sendo manifestada a preocupação com os modos dos jovens egressos da universidade ao enfrentar o mercado de trabalho. Alguns não se preocupam, outros não tiveram uma boa educação, por falta de recursos. A faculdade, dando o embasamento para desenvolver o potencial intelectual e técnico de seus alunos, também cria neles uma maior consciência da importância de sua aparência e das maneiras de se relacionar como traços de civilidade para o intercâmbio profissional mais fluido.

O aprimoramento das boas maneiras é incluído nas aulas de treinamento de pessoal nas empresas. Nos Estados Unidos, a própria universidade está começando a promover cursos de extensão, ministrados por técnicos em comportamento. Todo contato profissional é feito através de uma relação interpessoal e, por isso, na avaliação de um executivo, somam suas boas maneiras, o grau de cortesia e o visual correto.

Na competição do mercado de trabalho, entre dois candidatos com igual capacitação técnica, tem maiores chances aquele com boa apresentação e trato agradável. A prática das boas maneiras, tanto na vida pessoal como profissional, representa uma vantagem para o sucesso, o que explica o grande interesse dos jovens executivos pela etiqueta, quando ascendem ao mundo dos negócios.

Após um período em que os bons modos foram esquecidos, em conseqüência da perda dos valores formais – na década dos hippies, ser moderno era ser irreverente – na Europa e nos Estados Unidos, a imagem pessoal do executivo está sendo valorizada pelos profissionais com auto-estima fortalecida.

Estudiosos da área comportamental atribuem a carência de boas maneiras à mesa ao fato de, com pai e mãe trabalhando fora, ter se reduzido o convívio familiar nas horas de refeições. É comum as crianças comerem diante da televisão, sentadas numa poltrona. Antes, além de observar como os pais comiam, ainda eram corrigidas por eles, no modo de pegar garfo e faca.

Há um outro fator a contribuir no descompasso entre o nível profissional atingido e a formação cultural: o progresso rápido nos negócios. Técnicas de negociação fazem parte do currículo universitário, o aspecto formal do relacionamento entre as pessoas, não. Este é adquirido e cultivado através da observação do comportamento dos mais experientes, tanto em encontros sociais como profissionais.

Ética e Etiqueta

Na dinâmica do mundo de negócios, a etiqueta integra-se ao exercício da ética profissional que pauta as relações em todos os níveis de trabalho em diferentes latitudes. Isto explica sua inclusão nos treinamentos de pessoal e a presença dos livros sobre etiqueta profissional e assuntos de comportamento nas estantes das livrarias americanas, lado a lado, com os títulos de Economia e Administração de Empresa.

É na conceituação da ética como filosofia que melhor se deduz a importância da prática da etiqueta e o que ela significa para o desevolvimento das potencialidades do indivíduo, à medida que confere segurança em seus relacionamentos .

A palavra ética é de origem grega, vem de *ethos,* que significa comportamento. Como explicação dos atos morais através de manifestações da consciência, a ética chega à metafísica dos costumes. Ela mexe com a moral que parte do núcleo da liberdade pessoal, projetando-se nas formas de agir do homem na sociedade. Roubar e matar são atos que infringem no mais alto grau as leis morais.

Jacques Maritain define a ética como filosofia da ação dos atos humanos, aplicável ao comportamento do indivíduo em diversos níveis, agindo corretamente em relação a si próprio e ao seu semelhante. Assim, é falta de ética profissional não cumprir um contrato entre cavalheiros, feito em confiança, sem comprometimento jurídico. Como é antiético entregar um produto de qualidade inferior ao do mostruário.

A ética e a etiqueta tratam de comportamento e sua diferença é de nível de ação. A etiqueta como código de regras que regem o comportamento do ser social fica num nível mais superficial. É a forma e o jeito de ele se conduzir de acordo com normas pré-estabelecidas numa sociedade visando ser agradável aos outros. É a cortesia. Uma pessoa que não responde ao cumprimento de um companheiro de trabalho que chega pela manhã ao escritório, além de manifestar falta de educação, está sendo agressiva. Quem não cuida de seu asseio corporal e cheira mal, também agride e desrespeita o próximo.

HISTÓRIA DA ETIQUETA

O fato de a etiqueta ser associada ao formalismo e a atitudes estereotipadas deve-se à sua estruturação como código de boas maneiras na corte francesa, no século XIII, atingindo seu apogeu no século XVII, na Versailles de Luiz XIV. Nesta época, começou a ser empregada a palavra *etiquette* por causa das etiquetas distribuídas aos nobres quando chegavam à *cour* (pátio). Continham instruções de como se portar e o lugar a ocupar numa festa ou cerimônia de acordo com o protocolo.

A preocupação em fixar regras de conduta externa remonta às cortes da Antigüidade. O livro mais antigo de comportamento está na Biblioteca Nacional, em Paris, escrito por volta de 2400 A.C. pelo faraó Ptahhotep, em folhas de papiro com recomendações ao seu filho de como se comportar para melhor governar. Gregos e romanos cultivavam os bons modos e também na China existiu sempre esta preocupação.

À medida que as cidades evoluíram e a burguesia passou a imitar o comportamento das cortes, novos conceitos de civilidade e trato social foram sendo implantados. Coube ao filósofo

Erasmo de Rotterdam escrever o primeiro tratado de boas maneiras da era cristã, em 1530. Chama-se *De civilitate morum puerilium* (Da civilidade em crianças), de grande repercussão na Europa e traduzido em várias línguas em centenas de edições. A recomendação de cuidados externos com o corpo, de olhar nos olhos do interlocutor quando se fala – "Os olhos são o espelho da alma", dizia Erasmo – consta neste tratado.

É no comportamento à mesa que melhor se observa a mudança dos conceitos de elegância nos gestos. Se Erasmo recomendava ao comensal que não fosse o primeiro a se servir da travessa oferecida pelo pajem, aconselhava também o modo de comer com as mãos, pois o garfo trazido no século XI para Veneza, por uma princesa bizantina, só entrou em uso corrente séculos depois.

Com a colher e a faca servia-se o alimento da travessa para o prato, comum a dois comensais, e tanto o camponês como o rei comiam com os dedos. O nobre, por suas maneiras mais refinadas, usava apenas três dedos, como uma pinça, para levar a comida à boca. Erasmo, ao ensinar a distribuição dos utensílios à mesa, recomendava a faca à direita do prato e o pão à esquerda, o que persiste até hoje.

Quando D. João VI se transferiu com a corte de Lisboa para o Rio de Janeiro, houve maior necessidade, no Brasil, de um livro de etiqueta. *Nova arte do cozinheiro e do copeiro* foi publicado por Eduardo & Henrique Laemmert e vendido na casa da rua da Quitanda 77. Fazer ruído mastigando ou bebendo era uma das proibições. Um jantar que se prezasse deveria ter um cardápio dividido em várias partes chamadas ceias, cada uma com sete opções de pratos, inclusive a das sopas.

Usos e costumes são mutáveis e as maneiras diferenciam-se de acordo com a geografia e as mentalidades. Estas, iluminadas por novos conhecimentos e fatores sócio-econômicos, acompanham a dinâmica de seu tempo e infringi-las sempre causa má impressão. Na prática da etiqueta e do saber viver é o bom senso que prevalece, especialmente nos relacionamentos onde existe uma hierarquia, realizados em função de um objetivo comum: o trabalho.

Nova Mentalidade do Empresário

Com a globalização e a queda das fronteiras dando origem a uma nova política econômica e maior interação cultural entre os países, surgiu um novo perfil de empresário que substituiu o autoritarismo tradicional pelo menor formalismo e a abertura de um diálogo mais franco com o pessoal por ele liderado. Na moderna sociedade, a colaboração é mais valorizada que a obediência e os subordinados são tratados como companheiros de trabalho, parte de um mesmo organismo.

O executivo que cultivava um perfil de todo-poderoso, com a maior ampliação de seu campo de interesses para viabilizar a atividade econômica, precisou partir da especialização para a multifuncionalidade. Ele não deve entender apenas de seu ramo, mas precisa ter uma noção da realidade que o cerca para nela inserir suas idéias e seus produtos. Na mesa de reuniões de uma empresa, o líder e seus assessores imediatos devem exercitar conhecimentos gerais: o diretor de finanças sabe um pouco de marketing, o marqueteiro já estagiou no setor financeiro.

O mundo do século XX é multifuncional e o avanço dos meios de comunicação fez com que as distâncias desaparecessem. A informação da queda da bolsa em Wall Street é recebida na mesma hora pelo homem de negócios que trabalha num escritório em São Paulo e o industrial em Novo Hamburgo. .

O executivo é um cidadão internacional que preserva as características culturais em seu estilo pessoal, mas assume, no trato profissional, um comportamento pautado por uma visão global. Só assim manterá um diálogo fértil e terá sucesso ao objetivar seu programa. Ser bilíngüe se tornou importante. O estabelecimento das parcerias com empresas estrangeiras torna cada vez mais impositivo falar o inglês, idioma internacional. Quanto maior o conhecimento de línguas mais fácil se tornam os contatos e a conquista de prestígio.

Perfil do Brasileiro

O Brasil não desfruta de uma tradição empresarial significativa, nem possui uma cultura já formada neste sentido. Empresários que lideram grandes grupos no país, com uma trajetória reconhecida, lembram que nossa abertura comercial para a esfera internacional começou no final da década de cinqüenta. Novos níveis de comportamento foram sendo atingidos pelos executivos brasileiros, não só através de contatos mais freqüentes com negociadores do Primeiro Mundo como pelo convívio com os executivos de multinacionais que passaram a operar no Brasil.

Na Europa e nos Estados Unidos, houve radicais modificações no relacionamento comercial e esta evolução ocorreu muito em função da ascensão da mulher nos escritórios e da maior competição. Esta mudança de mentalidade refletiu-se nas maneiras e na aparência dos empresários brasileiros que, absorvendo o estilo europeu mais discreto de vestir, passaram a aperfeiçoar o trato social como um ponto de sedução na consumação de seus negócios.

A criatividade do brasileiro, reconhecida pelos parceiros estrangeiros, é estimulada pela conjuntura ambiental, cujas mudanças das regras de jogo são uma constante. Isto pode se transformar em qualidade de atuação num mercado financeiro de alto risco, mas também numa visão a curto prazo que propicia falta de objetivade e perspectiva futura.

A exuberância latina desperta simpatias, mas arrisca gerar algumas situações de constrangimento no exterior. Falar alto tanto em reuniões de trabalho como nos restaurantes é uma das nossas tendências. Falta de pontualidade, outra.

No Japão, país com uma cultura empresarial modelo no mundo moderno, tal comportamento causa a maior estranheza. Enquanto o japonês, numa reunião, vai direto ao assunto e comparece com o *briefing* completo, o brasileiro, em geral, fala sobre outras coisas antes de entrar no que interessa.

BOAS MANEIRAS

Em diferentes áreas, para a abordagem da etiqueta profissional, é preciso ter uma visão filosófica das relações dentro da empresa, desta com outras e com o consumidor. Num mundo altamente competitivo, a população de uma firma deve ser de pessoas bem-educadas. Não só os executivos que ocupam elevados cargos, mas também os funcionários mais simples – igualmente importantes – precisam desenvolver o trato agradável que propicia o bom desempenho da organização em nível interno e externo. É a imagem de todo um grupo que está sendo projetada.

A análise da cultura de uma organização, a natureza dos negócios a que se propõe, o produto que vende, o tipo de profissionais que nela atuam e seu público determinam o perfil de seus funcionários no que se refere à aparência. O exemplo mais elucidativo é de uma indústria de roupas para surfistas, toda descontração, e uma metalúrgica. Muda o estilo de roupa, mas é comum a correção do traje e a cortesia.

No próprio informalismo que impera em muitas empresas jovens, com a hierarquia e a autoridade exercidas democraticamente, há necessidade de tato e respeito do funcionário em relação ao seu chefe. O tratamento é franco, mas a hierarquia é incontestável e o *feeling*, para não avançar o sinal na intimidade com o chefe, deve ser bem desenvolvido.

No escritório, onde os chefes abrem mão da relação tradicional e do tratamento de senhoria, mais sutil será uma relação franca sem quebrar o respeito devido a quem foi conferida autoridade. O bom senso, aliado às boas maneiras que preservam a liberdade pessoal, é fundamental na adoção dos critérios para as relações no trabalho.

A Presença da Mulher

O convívio relativamente novo no mundo moderno, entre homens e mulheres no escritório, e a saudável competição, geraram um novo comportamento a partir das trocas: ele se tornou mais sensível e ela mais objetiva. Muitas dúvidas surgiram em relação às maneiras de tratar a mulher no local de trabalho. Deveres e obrigações são iguais, mas, para o homem educado, ainda que não dispense à colega o mesmo tratamento que lhe daria socialmente, haverá momentos, como no elevador, em que, ao natural, ele vai deixá-la entrar primeiro, mesmo exercendo uma função superior a dela.

O discurso feminista soa antigo hoje, porém o equilíbrio da relação homem e mulher é resultado de uma confiança adquirida numa caminhada lenta e dura. É só passar os olhos pela História. Houve mulheres que chegaram a influir em decisões políticas, mas seu talento diplomático era exercido através do marido ou do filho que detinha o poder. A mesa era um ponto de encontro para este jogo de influências e os romanos aprenderam com os gregos a dar o lugar de honra, num banquete, a uma mulher de espírito. Calpúrnia, esposa de Julio Cesar, foi uma grande *hostess*, aproximando o imperador dos embaixadores estrangeiros que iam a Roma. Uma companheira inteligente pode contribuir, e muito, na carreira de um homem. O que dizer, então, quando ela é agente de seu próprio destino profissional?

Foi só a partir da revolução industrial, por volta de 1850, que o trabalho da mulher começou a ter alguma expressão junto ao do homem. Sempre houve mulheres trabalhando fora de casa, em posição subalterna, numa extensão do trabalho doméstico. As parcas remunerações somavam-se às do marido e as trabalhadoras representavam, na Idade Média, quase um terço da população européia ativa.

Reconhecendo a capacidade administrativa da mulher, os operários, no século passado, em plena era industrial, tinham o hábito de entregar seus ordenados à esposa que geria a economia da família.

A jornada dupla – lar e trabalho – que tem dificultado a trajetória profissional da mulher, é vista como um exercício que a tornou mais corajosa, ao estabelecer o equilíbrio como mãe e profissional. .Em 1974, uma popular líder sindical israelense foi questionada por um grupo de jornalistas brasileiros, em visita a Jerusalém, por que não se candidatara ao Knesset (Parlamento). "É na juventude que se impulsiona uma carreira política e eu, nesta fase, em três anos, tive dois partos, o que retardou bastante minha vida pública", disse ela.

Esta é a realidade de grande número de mulheres profissionais e o próprio homem, reconhecendo-a, veio a modificar o quadro. Ele se tornou pai atuante, dividindo também as tarefas domésticas, mas é freqüente, na sociedade atual, a mulher manter sozinha sua família. Dentro de um novo projeto de vida pessoal, a executiva trabalha não só para ajudar no orçamento familiar, mas por vocação e talento, realizando-se como ser humano numa profissão de sua escolha. Se gosta do que faz, não se prevalece da condição física de mulher para faltar ao emprego.

O homem está vendo a mulher com novos olhos, a partir da imagem que ela formou de si mesma. Do companheirismo em casa, da competição alimentada pela competência entre colegas nasceu um convívio mais agradável no local de trabalho. No começo desta liberação, a mulher fazia até questão de ser tratada com as mesmas maneiras dos colegas entre si. Tinha de provar que era um ser humano, com a mesma capacitação masculina. Todos estavam de olho nela, pois eram poucas as executivas. Se tinha filhos, achavam que não poderia ter um desempenho regular; quando muito decidida, já comentavam que não era feminina. Se era bonita, usaria do apelo sexual. Os conceitos foram sendo corrigidos na prática e uma nova postura se impôs na parceria masculina e feminina.

Os homens entrevistados para a pesquisa deste livro, empresários e executivos em diferentes níveis e faixas etárias, bem educados, tratam suas colegas de trabalho com algumas deferências. Tudo flui ao natural. O ambiente de trabalho não é um encontro social. Se eles não levantam quando entra a secretária ou uma gerente que freqüenta rotineiramente seu escritório, procuram não passar à frente delas por uma porta. Num restaurante, em almoço de negócios, esperam que as mulheres que participam da mesa sejam servidas primeiro.

Há delicadezas que um gerente só tem para com suas colegas. Exemplo? Trazer balas. Enviar flores à secretária em seu dia. Esta diferenciação, hoje aceita num padrão agradável de relacionamento, é enriquecedora tanto para eles como para elas. Em muitos casos, uma executiva competente é escolhida também pela contribuição diferenciada que pode dar como mulher. Associações de classe, tradicionalmente masculinas, nos últimos anos, no Brasil, fazem questão de incluir em suas diretorias uma ou mais mulheres. Elas amenizam uma reunião, com seu *feeling* especial e o seu maior otimismo agiliza as metas.

A empresa moderna tem por norma valorizar as pessoas, não importa se femininas ou masculinas. Há mulheres ocupando cargos de liderança não por herança, mas por mérito. No exercício da profissão, em alguns aspectos, a condição feminina até ajuda. Para muitos homens, ela é mais confiável e os clientes se sentem melhor com uma interface ao fazer confidências de uma crise empresarial. Se chegou àquela posição numa empresa, é sinal que é muito competente, porque as mulheres, em geral, ainda têm de lutar mais que os homens para atingir o sucesso, pensam eles.

Delas é exigida a perfeição de comportamento. Uma gerente chamar atenção de um assessor diante dos colegas choca mais do que se fosse um gerente homem. Também na linguagem, uma palavra mais áspera ou um palavrão (ninguém é perfeito) repercute com mais força. O visual de uma executiva, por incluir mais detalhes, pode expressar uma modificação de estado de ânimo. Se ela costuma usar maquilagem e, um dia, aparece sem batom, no escritório, já é motivo de preocupação para seu *staff* mais direto. São condições inerentes ao sexo que não podem ser dissociadas do ser humano mulher.

Qualidade de Vida no Trabalho

A sigla QVT representa a moderna filosofia das relações no trabalho, em que a ênfase recai sobre a colaboração e não mais sobre o autoritarismo. É a humanização das condições de trabalho e de convívio durante o expediente. O funcionário, em todos os escalões de uma empresa, é considerado como um ser humano integral, não mais dissociado de seu núcleo familiar, o que significa maior abrangência das boas maneiras no convívio profissional. Perguntar pelo filho doente do colega, enviar um presente de casamento à secretária são exemplos rotineiros desta mentalidade.

O professor Pierre R. Turcotte, da Universidade de Sherbrooke (Canadá), em seu livro *QVT – A Qualidade de Vida no Trabalho*, ao abordar amplamente o tema, cita as origens da sigla. Ela surgiu durante uma conferência internacional realizada em 1972 nos Estados Unidos, quando foram discutidas as condições para promover a melhor qualidade de vida no trabalho e o conseqüente aumento do padrão de produção.

A partir de alguns conceitos de ordem administrativa e psicológica, chega-se à aplicação do QVT ao relacionamento no ambiente de trabalho. Abrange, também, dentro deste espírito, a decoração de um escritório e os limites da projeção do temperamento e do gosto individual das pessoas , em função do bem-estar coletivo.

LINGUAGEM

Toda a comunicação é feita usando uma linguagem que pode ser verbal, não-verbal, escrita e espaço-temporal. O corpo também fala através da expressão facial e dos gestos, muito importantes na comunicação. Falar com um colega com o dedo em riste é agressivo, ainda que as palavras não contenham esta intenção. O antropólogo norte-americano Edward T. Hall exemplifica alguns aspectos que vale a pena esquematizar.

Linguagem não-verbal

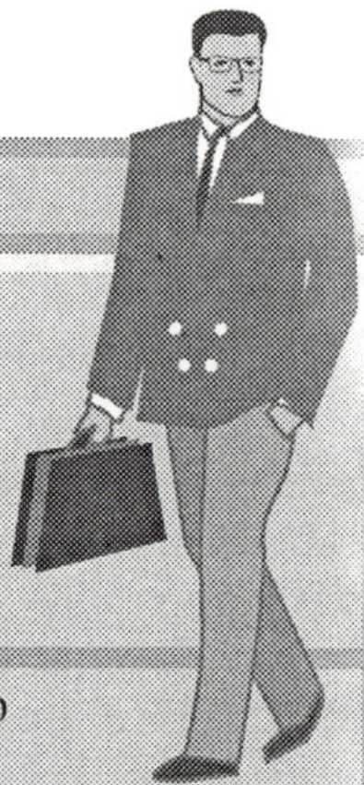

1	**Tempo**	A disponibilidade para encontrar alguém revela a importância dada à pessoa. Sinais reveladores: pontualidade e tempo de espera. Aguarda-se meia hora pelo patrão, não se aceita esperar um subalterno.
2	**Espaço**	Ao chegar num escritório, a localização no prédio e o ambiente revelam a situação que um executivo disfruta na empresa.
3	**Roupa**	Pode diferenciar um executivo de um operário.
4	**Aparência**	Postura, corte dos cabelos, enfeites revelam uma personalidade.

TEMPO

Na conquista das metas de um planejamento de trabalho, o tempo é um fator preponderante e saber aproveitá-lo, equilibrando não só os compromissos profissionais como a vida familiar e o lazer, contribui para um desempenho profissional produtivo sem estresse. Na comunicação e delegação de funções implícitas nesta organização de vida, as boas maneiras ajudam muito, propiciando que o relacionamento flua melhor entre chefes e liderados e no convívio dos companheiros em geral. Numa empresa de prestação de serviço, a cordialidade com os clientes só será exercida se ela for praticada internamente. Aquele que em casa é mal-educado, dificilmente poderá fingir sempre que tem boas maneiras.

De acordo com seu temperamento, um executivo encontra os meios de multiplicar seu tempo. Lee Iaccoca, por exemplo, dedicava duas horas das noites de domingo, em casa, para revisar sua agenda da semana, sozinho. Analisava alguns papéis a serem discutidos nos próximos dias, para chegar ao escritório com domínio da questão e as dúvidas relacionadas. Outros executivos preferem começar, segunda-feira, uma hora antes do expediente.

A formação de hábitos de racionalização do espaço – da mesa de trabalho ao final do expediente, dos jornais acumulados, da pasta –contribui para o bom aproveitamento do tempo. A secretária ou o assessor direto são parte deste processo, mas há coisas que o próprio executivo deve arrumar para depois não perder tempo perguntando: "Afinal, onde ficou aquele recorte do jornal de anteontem que deixei em cima da mesa?" (Ver *Espaço e Bem-Estar*, pág. 37).

A AGENDA

Com a agenda manual eletrônica, tornou-se mais fácil anotar e revisar os compromissos. Há executivos que, não dispondo de secretária particular, fazem seus lembretes no próprio computador.

A impressa, de tamanho que possa ser colocada na pasta ou numa bolsa, ainda é valorizada pelo fácil manuseio, sendo anotados juntos os compromissos profissionais e particulares. Nesta, muitos preferem escrever a lápis que, além da vantagem de permitir o uso da borracha, não aumenta o volume das páginas (a tinta "engorda" uma agenda).

Há executivos que optam pela datilografada, por ser mais fácil de ler, e que é feita pela secretária, acrescentando o nome completo de quem vai presidir a reunião e as pessoas mais importantes que ele vai encontrar.

Da agenda bem-feita, surge um fichário com o perfil de pessoas e alguns dados familiares. É uma medida construtiva para carreira de um jovem executivo que investe em seu marketing pessoal. Ao reencontrar o cliente, perguntar pelo filho que, na época, estudava no exterior, só pode impressionar bem e acalentar o ego do interlocutor. Colecionar as agendas, ano após ano, é formar um patrimônio.

Leituras

Racionalizar a leitura de jornais e revistas é importante. Quem começa como *business man* ou *business woman* ainda não dispõe de quem faça a leitura prévia, destacando os artigos de seu interesse. Há executivos graduados que nem permitem que seja feita esta seleção, mas ler muitos jornais pode ser perda de tempo. Todos os dias, pela manhã, ler bem o melhor jornal local e outro do centro do país já basta para tirar a conclusão do que acontece no mundo. As leituras especializadas valem para o final de semana, mas, tanto quem trabalha em moda como quem vende máquinas agrícolas, amplia seu universo de informações com a leitura dinâmica de uma revista que abranja assuntos de economia, política e amenidades. Se puder complementar com a *Time* ou *News Week*, melhor ainda, porque dá assunto para conversar com diferentes interlocutores.

O executivo moderno está consciente de que a cultura geral faz parte do seu preparo. Ninguém passa meia hora falando em negócios num almoço profissional. O diálogo se tornou mais leve e ler é um exercício que ajuda a pensar melhor e a se expressar com clareza. Nem todos cultivam o hábito da leitura mas, dependendo dos círculos que freqüentam, devem saber alguma coisa sobre um *best-seller*, principalmente se o tema estiver relacionado ao seu objeto de trabalho. Através dos jornais ou lendo a orelha do livro, já é o suficiente para não ficar alheio a uma conversa atualizada.

Secretária

Empresários experientes consideram que o processo de uma secretária na empresa deve ser duradouro, para que ela possa entender melhor a organização e pensar junto com o chefe, aumentando a capacidade de trabalho dele para a conquista das metas. Ela se atualiza e cresce com o executivo, tornando-se uma assessora administrativa cuja ação se projeta até à família dele.

O segundo estilo de assessora competente é daquela que cumpre bem suas tarefas, pensando em adquirir experiência e conhecer os meandros da empresa, mas não quer ser secretária toda a vida e almeja um posto de gerência. A secretária com uma longa trajetória freqüentemente é solicitada como conselheira dos mais jovens, que se apóiam em sua vivência e profundo conhecimento da vida daquela organização.

❑ Ao ser admitida, a secretária deve ser posta a par de todas suas obrigações, principalmente se incluir pedidos da família do executivo, com os itens apresentados por escrito, em linguagem sintética. É uma precaução que evita, futuramente, ouvir dela: "Esta não é minha função aqui." Se o executivo fizer um pedido extra, deixa claro que é uma colaboração.

O chefe bem-educado

Das maneiras dele para com sua assessora dependerá o nível de relacionamento e até a produtividade dela, se tiver um bom potencial. A liderança, na prática, implica sutileza e psicologia na forma de a secretária ser entrosada nas soluções do dia-a-dia. O chefe deve lhe dizer onde está e quanto tempo ficará ausente. A sintonia entre eles acelera a comunicação. Quando o diretor da empresa procurá-lo, poderá responder com segurança: "O senhor Murilo saiu. Está em reunião na firma Tal, mas deve voltar em meia hora. Em que posso ajudar?"

❑ Ao dar várias ordens de uma vez, o melhor é que seja por escrito, chamando atenção para as prioridades. Enfatizar uma solicitação à secretária, dizendo sempre que é urgente, acaba sendo desgastante e ela não acreditará quando o pedido exigir realmente urgência.

✓ A inflexão da voz também é importante na comunicação bem-feita. Falar alto do escritório, de porta aberta, até onde está a secretária, é deselegante. O correto é chegar até a porta ou usar o interfone, precedendo o pedido com "Faz o favor" ou usando o verbo no condicional. "Poderia telefonar..." Agradecer a uma solicitação cumprida, principalmente diante de terceiros, é outro sinal de cortesia.

✓ A crítica deve ser construtiva. Se reclamar a toda hora é contraproducente, não avisar que o serviço vai mal impede que um assessor cresça. Nada é mais desestimulante que ser despedido sem saber por quê. A reclamação do trabalho de uma secretária auxiliar ou de um contínuo deve ser feita através da secretária executiva, seguindo a hierarquia.

Vida privada

A secretária de muitos anos, que se torna amiga da família, deve ser tratada socialmente como uma convidada, ao ser recebida numa festa na residência do chefe.

A esposa dele pode contribuir no processo de um bom relacionamento também no trabalho. Em situações importantes na vida privada de um assessor ou assessora do marido, ela deve manifestar-se com um telefonema de cumprimentos ou uma expressão de solidariedade em casos de doença.

E o inverso, quando o executivo é uma mulher, seu marido terá a mesma atitude para com a secretária dela? Em geral, não existe uma relação equivalente, porque o homem também tem a sua secretária. Como marido de uma executiva, ele assumirá um relacionamento apenas em nível social, acompanhando a esposa em casamento ou ocasião de luto.

A secretária eficiente

Ela precisa ser, além de competente, agradável no visual e no trato, pois das suas maneiras depende muito a atmosfera do escritório. Chegará dando bom-dia ao porteiro que, assim, terá mais boa vontade em encaminhar-lhe uma correspondência ou um visitante. A telefonista, bem tratada, atenderá com mais presteza as chamadas dela. Tudo isto contribui a uma melhor intermediação no trabalho do executivo.

✓ Quando a secretária executiva tem outras pessoas sob sua chefia, deve preocupar-se em ser modelo positivo para elas, pelo modo cortês como exerce sua autoridade. Há um componente mais delicado: passar as ordens do chefe aos subalternos dela. Por isso, desde o início da relação de trabalho, a hierarquia deve ficar clara.

✓ O ideal é que ela chegue mais cedo que o chefe para organizar sua mesa e deixar a agenda aberta com os lembretes mais importantes, inclusive aniversários da família – lembrados de véspera – e os cartões para ele escrever.

❑ O tratamento, em relação a ele, depende do seu estilo e o da empresa. Um jovem empresário pode ser tratado por você pela secretária de sua mesma faixa etária. Numa empresa mais tradicional, ela dirá senhor quando estiverem diante de pessoas estranhas ou subalternos. Uma forma intermediária é eliminar o pronome – senhor ou você – e usar o verbo na terceira pessoa. "Precisa de alguma coisa? Estou saindo."

❑ Uma boa secretária viabiliza um algo a mais de conforto, como providenciar um cafezinho de qualidade, bem apresentado. Se um executivo serve café a um visitante, por que a secretária não pode fazê-lo? Em vez de passar a bandeja, deixa-a em cima da mesa e alcança a xícara a cada uma das pessoas presentes. Sem subserviência, como uma dona de casa faz.

✓ Ela deve entender as prioridades nas chamadas telefônicas externas, mas não tomar a iniciativa de barrar pessoas sem o conhecimento do executivo. Saberá desculpá-lo e avisar, ao perceber que ele vai chegar atrasado a um encontro.

✓ Atender, com competência, os interesses familiares dele exige diplomacia. Não é raro receber telefonemas de uma namorada do executivo, enquanto a esposa está na outra linha. Uma profissional criteriosa contornará a situação, mas dela não se prevalecerá, em proveito próprio.

✓ Muito práticos para agendas de secretária são os pequenos arquivos de espiral, as folhas de cores diferentes para destacar os compromissos do chefe, os dela de ordem profissional e os estritamente particulares (dentista, compras, etc.). Este arquivo ela leva sempre consigo.

APRESENTAÇÕES

Na vida profissional é importante, mais que nos contatos exclusivamente sociais, saber apresentar as pessoas. Os executivos mais graduados devem dar o exemplo que será seguido por todos os escalões da empresa. Quando a secretária entrar no escritório onde está sendo recebida uma visita, se ela permanecer por algum tempo ali, o chefe dirá "Doutor Oliveira, Maria Cecilia, minha secretária". Ela não estenderá a mão e apenas cumprimentará olhando para o visitante. O nome da pessoa precede a função. Já quem ocupa cargos de alta direção será apresentado numa recepção: "O vice-presidente da XYZ, Fulano de Tal."

✓ A regra social de apresentar um jovem a uma pessoa de mais idade, um homem a uma mulher, no mundo dos negócios é diferente. Vale a hierarquia e, quando ela não for seguida, será propositalmente para destacar a pessoa mais velha ou a senhora numa manifestação de extrema cortesia.

✓ O pessoal interno será apresentado ao visitante. O diretor dirá ao jovem executivo ou ao cliente apresentando um colega de direção: "Marcelo, Luciana Medeiros, nossa gerente de marketing. Marcelo Soares é chefe de compras da Liberia Cia".

❑ Ao esquecer o nome de alguém, mesmo assim a apresentação deve ser feita, sendo preferível dizer: "Por favor, diga-me seu nome completo" ao trágico "Esqueci seu nome". Não entendendo um sobrenome é até sinal de interesse pedir que a pessoa o repita. Quem tem um nome complicado pode deixar seu interlocutor mais à vontade completando a resposta cordialmente. "Já estou habituado a ter de repetir : S-t-r-a-s-l-i-n-s-k-i ".

✓ O novo companheiro é introduzido no grupo pelo chefe do setor. Quando isto não ocorre, quem fica mais próximo se apresenta: "Sou Fulano de Tal, seja bem-vindo." O recém-chegado agradece fazendo sua auto-apresentação. Com estes gestos formais flui um relacionamento cordial.

✓ Visitas de parentes e amigos no local de trabalho, dependendo do tipo de atividade e regime interno, podem ocorrer. "Luiz, gostaria de te apresentar minha mãe... Luiz Gonçalves é nosso chefe de setor." Numa apresentação rápida, não é necessário o aperto de mão. Caso isto ocorra, a iniciativa será daquele a quem está sendo feita a apresentação. Neste exemplo, Luiz Gonçalves.

Quando levantar

Se numa relação social o homem sempre levanta ao cumprimentar outro homem ou uma mulher, na profissional não existe este rigor. As regras de cortesia, no trabalho, são cumpridas de forma mais sintética que nos contatos meramente sociais. O funcionário que está sentado, trabalhando, levanta-se diante de um visitante que falar com ele. O mesmo fará com um superior hierárquico, cuja presença é rara naquele escritório.

Nas grandes áreas, em que os funcionários trabalham muito próximos, uma mesa junto à outra, este espaço exíguo pode ser considerado privado, ao chegar um visitante ou ser feito um contato. A apresentação não se estende ao colega do lado, respeitando a privacidade mantida sem paredes.

É comum, nestes grandes escritórios, a ausência de cadeira para visitante junto à mesa do funcionário. Significa contatos rápidos. Nesta situação, não precisa levantar, mas é uma questão de *feeling*: quem é o visitante, se ele estende a mão e como a conversa se desenrola. Ao concluir o contato, em geral, a pessoa se levanta.

Em etiqueta, o segredo está em exercer atos de cortesia adequados às circunstâncias, pois, conhecidas as regras básicas da boa educação, é o bom senso que dirige o comportamento na prática.

TRATAMENTO

As pessoas são sensíveis à sua identidade e valorização no grupo em que atuam. Não sendo chamadas pelo nome, quando este não é conhecido, merecem da mesma forma um tratamento respeitoso. Dirigir-se a um colega dizendo "Chega aqui, garota", "Você aí, me alcança aquele jornal", "Vem até aqui, baixinha", "Negrinha, telefona para Fulano de Tal" não é dar a devida consideração a um companheiro nem a si próprio.

Não sabendo o nome dele ou dela, a ordem será igualmente cortês. "Por favor, providencie papel de memorando." Tratado com seriedade, o companheiro cumprirá o pedido no mesmo nível. Gritar para falar com alguém que está mais distante, pensando economizar tempo não dando alguns passos até onde ele está, é grosseria. E mais, a poluição verbal, no ambiente de trabalho, além de perturbar a produtividade, causa má impressão a quem chega.

Respeito mútuo

As duas pontas – chefia e liderados – são unidas por uma linha de respeito. Como alguém pode ter produtividade se às tensões naturais de uma rotina profissional soma-se a sensação de não estar sendo valorizado como ser humano?

As empresas que seguem a tradição paternalista identificam-se com uma grande família. É uma comparação que a moderna filosofia de trabalho revisa, enfatizando consideração mútua entre os membros dos diversos escalões, mas, psicologicamente, a conquista de objetivos comuns e a disputa de uma boa posição refletem o esquema familiar, onde os filhos desejam ser bem tratados e desfrutar de uma boa posição afetiva.

A vida profissional, entretanto, não se fundamenta em relações afetivas, mas num saudável convívio competitivo. As afinidades e a amizade são uma decorrência na relação que não deve ser tão íntima que facilite as brigas comuns em família e com amigos. Os pontos de atrito no trabalho são resolvidos num nível mais objetivo. A discussão violenta entre dois colegas pode representar a perda de emprego para as duas partes.

Boa convivência

O espírito de colaboração é fundamental para o bom resultado em um grupo de trabalho, e o companheiro prestativo credita pontos a seu favor. É preciso ter responsabilidade, inclusive de confessar seus erros sem culpar outras pessoas. Dizer "É verdade, fiz mal este contato" é uma boa estratégia que altera o tom da reclamação, despertando maior tolerância.

Se um colega quer ajuda, e o outro está muito atarefado, este pede para deixar para mais tarde. Uma conversa pode ser gentilmente interrompida. "Gostaria de saber maiores detalhes, mas estou fazendo um relatório que tem urgência." A expressão facial com o sorriso de excusas, às vezes, é mais forte que adjetivos. Mas ouvir com freqüência, "Me alcança a tua tesoura?"

e a demora na devolução significam interromper o que se está fazendo.

Quando se trata de emprestar dinheiro, existe sempre um constrangimento. Uma boa medida é a de não estimular o vício do colega que está sempre pedindo pequenas quantias. Um dia ele deixa de pagar e termina um bom relacionamento.

Há problemas delicados de resolver, como sentir cheiro de suor ou mau hálito de um colega. Deve-se avisá-lo, quando houver certa intimidade, dizendo: "Desculpe, mas parece que você esqueceu, hoje, o desodorante. Isto já aconteceu comigo." No segundo caso, poderá ser dito: "Quando falar, não chegue muito perto, provavelmente está com algum problema de estômago." Uma solução para casos crônicos é pedir a colaboração do Departamento de Relações Humanas da empresa, despersonalizando a reclamação.

❑ Mesas de trabalho e estantes geminadas exigem organização maior do que se tem em casa. Avançar com papéis e pertences na mesa vizinha e sair do escritório deixando tudo desarrumado pode ser ponto de discórdia com um colega. Quando este se sente prejudicado pela desordem do outro, deve dizê-lo francamente e a melhor forma é usar o humor.

O ideal seria que as fofocas a respeito de superiores e colegas fossem evitadas, mas a convivência empresarial é de seres humanos e os comentários fazem parte do convívio. Antes de fazê-los, é bom lembrar que existem distorções e a conversa vai longe demais e profissionalmente isto pode custar caro.

Quando ocorre o divórcio de um companheiro, é melhor que ele próprio comente o fato, promovendo um clima de compreensão, e mesmo assim o assunto não deve ser abordado sem que ele dê abertura. Fazer perguntas parece indiscrição, mas um chefe pode manifestar sua disponibilidade para ajudar, caso seja necessário.

Demissões

É sempre uma comunicação difícil, exigindo, além da objetividade, respeito àquele que está sendo demitido. É o chefe direto ou um gerente que chama o funcionário, pois é muito desagradável receber um frio comunicado do departamento de pessoal, às vezes anexado ao cartão ponto. Há empresas que enviam a carta de demissão para a residência do funcionário, permitindo que ele tenha as primeiras reações na sua privacidade.

A conversa constrangedora em torno da dispensa de um executivo deve ser, de preferência, no escritório a portas fechadas, as duas pessoas sentadas. Este clima de respeito tende a amenizar a forte tensão. A comunicação deve ser objetiva, sem ser prolongada, e é preferível que o funcionário não volte mais ao trabalho. Por isso, o horário da dispensa é importante: começo ou final de expediente.

Quem foi demitido, por mais chocado que esteja, deve controlar suas emoções, não fechando as portas para um eventual retorno. Mudam as chefias, são ampliados os departamentos, e quem deixa uma boa lembrança pode retornar.

A atitude dos colegas deve ser discreta, mas não omissa. Ao encontrar o ex-companheiro, manifestar o pesar de não continuarem mais trabalhando juntos e o interesse pelos seus projetos é sinal de solidariedade.

NAMORO NO TRABALHO

Passa-se a maior parte da vida trabalhando e a afetividade das pessoas acaba restrita a este ambiente, tornando-se natural a maior aproximação entre homens e mulheres atraídos sexualmente. O amor não escolhe ocasião nem lugar para nascer, o romance acontece e o casal deve ter um comportamento que esteja de acordo com o ambiente.

Manter a discrição, não deixar a vida privada interferir no trabalho é a conduta correta. Muitos casamentos começam num namoro dentro da empresa, mas esta relação não fica visível através de abraços, beijos e mãos dadas.

Quando a mulher é subordinada diretamente ao marido, surgem sempre comentários de que é favorecida em sua carreira. Por isso, é conveniente não trabalhar no mesmo setor ou, pelo menos, nesta hierarquia. Ao apresentar o marido ou a mulher que é companheiro de trabalho, a relação pessoal não é mencionada e será dito só o nome dele, ou dela, e a função que exerce.

Com a maior liberalidade dos costumes, também acontece numa empresa o relacionamento entre homossexuais e o comportamento tanto deles como dos colegas deve ser de respeito total.

Se a intimidade excessiva contribui para os atritos, em função do trabalho, fazer um programa com um chefe – homem ou mulher – principalmente sendo comprometido, ainda pode ser mais complicado. A mulher que pensa progredir profissionalmente tendo uma aventura com um executivo mais graduado tem decepções. Ela facilita a situação, ele corresponde, saem juntos e ponto final.

Assédio Sexual

A expressão é muito usada nos Estados Unidos e há mulheres que, processando seus chefes, ganham fortunas num país em que a lei é rigorosa. Há uma evolução nas decisões dos tribunais de garantir uma reparação indenizatória para as mulheres que tenham sido atingidas pelo assédio sexual no ambiente de trabalho. No Brasil, já vêm ocorrendo também processos neste sentido. O que torna mais grave um assédio sexual é quando um chefe se vale das dificuldades de ordem econômica e familiar de uma funcionária para forçar um caso. É uma espécie de chantagem.

Com o acesso da mulher às funções de liderança, o assédio pode ser de uma executiva em relação ao funcionário mais jovem. Como contornar? Da mesma forma que a moça quando assediada. Diante de um convite para jantar, ele dirá: "Obrigado, mas não costumo sair no meio da semana, porque trabalho cedo." Mostrar seriedade, não entrar em assuntos de ordem pessoal e lembrar que as situações embaraçosas podem prejudicar a carreira do próprio assediador, são maneiras de afastá-lo.

É nas festas, decorrentes da profissão, que acontecem algumas cenas desagradáveis, principalmente quando a dose de bebida alcoólica foi além da medida. Pode ocorrer tentativa de beijos e propostas diretas que são rejeitadas sem alarde. No dia seguinte, ao encontrar-se no trabalho, a mulher – ou o homem assediado – age como se nada tivesse acontecido. Às vezes, recebe um pedido de desculpas, ao qual responde: "Isto já passou... Temos uma importante reunião daqui a pouco." A minimização do fato, feita com elegância, poderá conduzir aquelas duas pessoas a uma boa amizade.

As manifestações mais grosseiras de assédio sexual, que partem da palavra para a ação, não podem ser tratadas com maneiras polidas. A mulher solicita transferência de setor ou, em último caso, expõe a situação ao departamento de pessoal. Quanto menor o número de colegas que souberem do fato, mais fácil o esquecimento, continuando a manter-se uma boa qualidade de vida naquele trabalho.

O FILHO DO DONO DA EMPRESA

Há dois aspectos a serem abordados nas relações do filho de um diretor-presidente: a relação com o pai no trabalho e com os companheiros. Entre pai e filho, sozinhos, na sala do presidente, prevalece um código informal, com o ônus que a própria relação confere, imprimindo maior envolvimento emocional quando eles tratam de assuntos profissionais.

O presidente aceita melhor o desacerto de um de seus executivos do que o do filho e as discussões entre os dois podem ser muito acirradas. Numa mesa de reuniões, diante de outras pessoas que trabalham na empresa, é o código formal que se impõe. O executivo que é tratado pelo pai com a franqueza da relação pessoal sente-se diminuído diante dos colegas, ameaçando sua liderança no processo sucessório, mesmo que distante.

O mesmo tratamento que o diretor dispensa aos jovens executivos é dado ao próprio filho, e este o chamará por Seu Fulano, Dr. Fulano ou Presidente, como fazem os seus colegas jovens. E não imita os antigos gerentes que se dirigem ao dono da empresa usando o você ou o tu.

Este jovem com a responsabilidade que a filiação lhe dá começa sua vida profissional desde as primeiras etapas. Bate cartão ponto, dá plantão de fim de semana, e chega a esquecer, muitas vezes, sua posição. Já os colegas não a esquecem. Por isso, muitos herdeiros preparados para a sucessão não estendem para fora da empresa o convívio mais íntimo com os companheiros de trabalho, para evitar constrangimentos futuros à hora de tomar decisões de ordem funcional.

A imagem tragicômica de Chaplin, no filme *Tempos Modernos*, o operário lutando para acompanhar a engrenagem da máquina que se sobrepunha a ele, pode ser encarada com maior abrangência à luz da moderna filosofia do trabalho. Aquele modelo negativo aponta para as condições ambientais positivas, em todos os níveis do desempenho profissional, valorizando cada vez mais o conforto e a possibilidade de sinais individuais no espaço de cada um. Ter na mesa de trabalho de um escritório coletivo alguns objetos pessoais – porta-lápis colorido, relógio e calendário – ajuda a identificar-se melhor com aquele espaço. Os padrões não devem ser tão rígidos em relação ao colorido da decoração, permitindo pequenos objetos funcionais que não agridam o conjunto.

A arquitetura em fábricas e escritórios é uma especialização valorizada pelas empresas que investem em sua imagem e em seu pessoal, num processo evolutivo. Assim, deixar um espaço para descanso dos funcionários no tempo de folga após o almoço, ou reservar um recanto do refeitório para isto, é propiciar boas condições de trabalho. Pode ser constrangedor ficar sentado nos bancos do corredor ou nas escadas diante dos visitantes ou diretores que por ali transitam. "Parece que não se tem nada a fazer", reclamou a funcionária de uma empresa de médio porte.

Uma iluminação mal dirigida sobre a mesa de trabalho faz com que as pessoas se sintam mal sem saber o motivo. O estudo da dinâmica das cores revela que elas agem sobre os ânimos e, por isso, em muitas indústrias, as máquinas são pintadas com cores adequadas para não cansarem o operário. Tons suaves e a convivência com o verde – vasos com plantas, áreas internas com canteiros – contribuem ao bem-estar coletivo.

O escritório

Há dois tipos de executivos que marcam o estilo na decoração de suas salas: o profissional de carreira que gradativamente superou etapas até atingir status, e aquele que progrediu mais rápido. O primeiro é conservador na montagem e decoração do escritório; o segundo, em geral, prefere a ostentação, assumindo o risco de chocar as pessoas de diferentes níveis que com ele tratam.

Os conceitos de espaço mudaram. Escritórios de grandes empresários têm área equivalente às suas necessidades de trabalho, buscando uma decoração que reflita a cultura da casa. O conforto e a praticidade formam um elenco de condições que admite certa sofisticação, já o supérfluo facilmente vira excesso. Há empresas sólidas que têm dependências menos luxuosas para seus executivos que outras de menor prestígio.

Existem aspectos regionais a serem levados em conta. Na Europa, não é absurdo, mais, uma organização instalar-se num palácio antigo porque, ao preservar um imóvel que é patrimônio de uma cidade, pagam menor taxa de imposto predial.

Tornou-se comum o escritório ser um prolongamento da casa do executivo e alguns até lareira têm. Outros dispõem de um bar em destaque, o que é considerado de mau gosto no ambiente. O mais prático, até por economia de espaco, é esconder, numa fachada de armário, o banheiro privativo, o minirrefrigerador e um barzinho que inclua a cafeteira térmica e os utensílios que garantam a autonomia e privacidade do executivo.

Sem modismos

Móveis confortáveis e alguns estofados, num escritório, fazem parte da decoração voltada para a praticidade e o nível dos materiais. O *décor* pode ser simples, de acordo com o tipo de produto negociado, sintetizando o anseio de qualidade dentro de um estilo tradicional ou mais irreverente. A mesa do executivo estará próxima à estante de livros mais importantes para ele, tanto técnicos como aplicáveis à sua vida pessoal (arte e turismo). São sinais que revelam a sua personalidade e ajudam o visitante a traçar o perfil do dono da sala. E mais, propiciam conversas amenas, quebrando a rigidez da relação de negócios.

Se nos assuntos rotineiros o executivo despacha com seu assessor – o birô entre eles – ao receber um visitante, o ideal seria dispor de um recanto com estofados. Muitas vezes, aproveita-se uma salinha geminada para criar um ambiente com uma mesa com seis ou oito cadeiras. As preferências recaem sobre as mesas ovais ou redondas, que não têm cabeceira marcando a posição de chefia.

Enfeites

Com o avanço da tecnologia dos materiais de revestimento e decoração, há uma forte tendência em tornar tudo mais prático sem perder a qualidade do *design* dos móveis e dos tecidos. Em vez de cortinas, micropersianas. O decorador, ao fazer a análise das condições do espaço, já recomenda tecidos de acordo, tanto para as cortinas (para isolar o som externo), como as forrações de parede e os carpetes, equilibrando o som ambiental. Exemplo? Pisos de granito acentuam os ruídos, então é melhor jogar tapetes por cima.

Assim como os executivos – homem e mulher – não seguem modismos para se vestir, o mesmo acontece com a decoração dos seus escritórios. Vende-se melhor um produto num cenário que se harmonize com seu marketing, sem muitos objetos decorativos que interfiram com eventuais cartazes, prêmios e diplomas conquistados.

Ter gravuras e telas de artistas, de preferência regionais revela *status*, pois é cada vez maior o número de empresários que comparecem a *vernissages* e fazem suas aquisições de obras de arte até como investimento. Um móvel antigo, discreto, em meio ao mobiliário moderno de *design* é sinal de categoria.

Os porta-retratos são importantes entre os enfeites, em número equilibrado, como um referencial da integração profissional e familiar. Também diplomas pessoais, ao ficarem à mostra, não devem dar idéia de coleção, destacando os mais importantes, porque documentam uma formação profissional. As medalhas usa-se reuni-las num painel forrado de veludo.

No Refeitório

A mesa de almoço, numa empresa, é um bom ponto de encontro dos seus integrantes entre si e com visitantes, onde são exercidas as relações de sociabilidade em momentos aproveitados para contatos e maior conhecimento entre o pessoal. Numa grande empresa, é no refeitório que o novo executivo mais facilmente estabelece relacionamento com os colegas de outros setores, sem precisar procurá-los.

Durante um almoço, é quando melhor se trocam informações que explicam muitas vezes certos procedimentos.

Em torno da mesa, praticam-se também as maneiras. Os jovens que não tiveram uma educação formal e não sabem manusear os talheres corretamente podem observar e imitar os mais experientes. Sem troca de palavras.

Cardápios

Há fábricas nas quais os executivos almoçam no mesmo espaço dos operários. Recomendam-se mesas de, no máximo, 12 lugares, para oportunizar uma melhor comunicação entre as pessoas. As áreas dos executivos podem ser separadas com folhagens e biombos que, revestidos de tecido, equilibram a acústica. A hora de comer é de descontração e a tendência é falar alto, daí o som ambiental não ser recomendado, pois quanto mais alta a música, mais alto se fala.

O motivo também para a separação das mesas são os cardápios. Não pela qualidade do alimento, que é a mesma, mas pelos pratos servidos. Executivos estão habituados com arroz à grega, já os operários não o apreciam. E há também a questão dos custos.

EXECUTIVOS	FUNCIONÁRIOS
Salada verde com roquefort	Salda verde com presunto
Escalopes ao molho madeira	Carne assada. Farofa
Arroz à grega	Feijão com arroz. Laranja
Manjar branco c/ameixas	Sagu e frutas

✓ Nos dois tipos de mesas, começa-se a comer à hora de chegada ao refeitório e não se espera pelos companheiros.

✓ Nestes refeitórios, é o *self-service* que prevalece, e um convidado não deve exceder-se ao montar seu prato.

HIGIENE

Faz parte do bem-estar, tanto do pessoal interno como dos visitantes, as condições de limpeza, em todas as dependências, inclusive elevador. Os banheiros, não só da alta direção como dos funcionários em geral, é um sinal importante da qualificação da vida no trabalho.

Com a terceirização de serviços, principalmente de limpeza, estes cuidados estendem-se também àquele pessoal. Trabalhadores que fazem grande esforço físico, se não receberem desodorantes, podem poluir um ambiente. Este é um detalhe geralmente esquecido ao se fazer um contrato com os responsáveis pela limpeza. Toda a reclamação de um faxineiro, quer seja de higiene pessoal ou de conduta, não é feita diretamente a ele, mas ao gerente da empresa contratante que se dirigirá ao responsável que a contratada mantém naquele serviço.

Uniformes. (Ver CÓDIGO VISUAL)

COMUNICAÇÃO INTERPESSOAL

A comunicação de uma empresa se processa em dois níveis: o dela própria como um todo – interna e externamente – e o dos seus executivos.

Começando pela comunicação gráfica, toda a programação visual deve ter a cara da empresa, sendo esta uma das facetas mais importantes da projeção de sua imagem integral. Cartões de visita dos executivos, papel de carta, envelopes, cartões para bilhetes internos e convites formam um conjunto padronizado em que o *design* do logotipo, as letras e as cores seguirão o tipo de serviços prestados ou do produto comercializado.

Para saber qual a imagem gráfica adequada, a empresa deve olhar para dentro de si mesma, passando ao programador visual. informações básicas de sua cultura. Se um bom papel qualifica, ele só se destaca quando o *design* e a distribuição do texto obedecerem a um bom projeto. O logotipo deve marcar uma identidade, sem cair em modismos, e seu desenho pode ser voltado à releitura de um estilo desde que atual.

Material de Expediente

1. As folhas para correspondência comercial podem ter vários tamanhos, mas, de acordo com a Associação Brasileira de Normas Técnicas, o A4 (21 x 29,7cm) é o mais usado no Brasil. Para empresas que fazem muitos relatórios, o ideal é o ofício (21,5 x 31,5cm).

2. O envelope em formato ofício é o clássico, mas o tamanho varia com a largura da folha. A Empresa de Correios e Telégrafos tem uma série de normas, não aceitando envelopes com menos de 9 x 14cm. Não há sentido em marcar o quadro para o selo e a sigla CEP, pois muitas correspondências são entregues em mãos. O logotipo fica acima, à esquerda, para não coincidir com o selo, e usa-se imprimir o nome da empresa, endereço, fone e fax no verso do envelope, onde é tradicionalmente indicado o remetente. Bem aceitos, para fotos, são os envelopes maiores, fechados na vertical.

3. O papel de memorando é a metade de uma folha A4 ou ofício, mais prático quando é blocado. Usam-no fixado com um clipe em documentos e leva a logomarca, não incluindo endereço. No memo, as anotações, em geral, são a manuscrito, em caráter rápido.

4. O fax exige folha tamanho 21 x 29,5cm, coincidindo com a do expediente. Logotipo e endereço da empresa ficam no cabeçalho. Usa-se imprimir as preposições "DE (From)" e "PARA (To)" para indicar o expedidor e o destinatário e N°, para indicar a quantidade de páginas.

5. Nos bloquinhos (metade da folha de memorando), aparecem o logotipo, em cima, e, bem abaixo, o nome do executivo. Funciona muito bem para bilhetes internos presos em documentos e, em vez da assinatura, só a rubrica.

Cartão

O mais usado é o do tipo R.P. (15 x 10,5cm). Tanto pode ser simples, como duplo, para colocar em envelope proporcional (16 x 15,5 cm). Estes cartões devem ser encomendados em maior quantidade, visando baixar os custos, para serem usados com outras finalidades, inclusive convite a ser impresso por ocasião de um evento. O logotipo em relevo a seco (sem tinta), no cartão, pode figurar também no envelope, o que vai qualificá-lo.

Av. Santa Inês, 457 - Morumbi - São Paulo - SP
Tel.: 679-7593 - Fax: (011) 456-4635
Nº de paginas
DE: (From)
PARA: (To)
Adroaldo Ferreira
DIRETOR
Adroaldo Ferreira
DIRETOR
Adroaldo Ferreira

Executivos que mantêm muita correspondência social-empresarial costumam ter somente seu nome impresso no cartão, acima, à esquerda, abaixo do logotipo. Este, no entanto, pode ficar centralizado.

Cartão Profissional

O cartão de visita dos executivos e funcionários da empresa segue um tamanho padrão (9,5 x 5,5cm). Pode ser impresso também na vertical, incluindo o cargo ou departamento deles. Numa microempresa com poucos funcionários, não constará a função, mas o nome do departamento ou outra referência de setor de atividade.

Será duplo, quando for necessário incluir mais dados ou as logomarcas de revendedores. Usam-se o endereço da empresa e o CEP, incluindo telefone e fax, informações completas para futuros contatos. Daí a necessidade de ter outro cartão de visita, apenas com o nome do executivo e endereço de trabalho. Em algumas multinacionais, o logotipo fica embaixo e o nome da pessoa acima, à esquerda.

Há executivos que estão colocando, no verso do cartão, o mapa da localização do prédio, seguindo o costume japonês, em decorrência da ausência de nomes de ruas em Tóquio, onde um edifício público mais importante serve de referência. Estão começando a aparecer cartões de executivos brasileiros com o mapinha para achar com mais facilidade sua residência.

Imagem

Formato, papel e cor do cartão já traçam algumas linhas básicas do tipo de empresa e o status profissional. Há atividades exercidas individualmente, fora de uma organização, que permitem certas fantasias. Um exemplo bem original pode ser o de um artista plástico que fez seu cartão em forma de carta de baralho colorida, com seu nome, profissão, endereço, telefone e fax impressos em volta da margem branca. Trata-se de uma releitura da origem do cartão de visita, no século XIII, quando as cartas de baralho eram pintadas por artistas e nelas as pessoas escreviam seus nomes. Estas fantasias representam alguns riscos, exigindo segurança em sua adequação ao tipo de atividade e estilo pessoal.

Papel e Impressão

Quem não pode contratar um programador deve procurar uma boa gráfica que possua um mostruário de cartões de categoria. Um cartão de visita deve ter, no mínimo, 180 de gramatura (peso da folha por metro quadrado) no papel mais rígido, que combine com os de expediente, que deverão ser mais leves, entre 70 e 85 gramas.

Cartões de mais categoria são impressos em chapa gravada ou *silk-screem* (serigrafia), cuja impressão deixa um certo relevo que mostra requinte e sofisticação. Mas é mais caro. Já o *offset* é bastante procurado pelos jovens que também usam, em cartões mais simples, o xerox.

USO DO CARTÃO DE VISITA

O cartão é entregue na mão da pessoa, segurando-se pela parte superior, entre o polegar e o indicador dobrado, com o nome na posição para a leitura imediata.

✓ Os japoneses deram ao cartão uma maior valorização nas relações de negócios, entregando-o à hora da apresentação. Numa mesa de reunião, colocam à sua frente os cartões recebidos, já na ordem de importância da função de cada executivo. É o modo que encontram para dirigir a palavra aos companheiros de acordo com sua hierarquia.

✓ Como meio para apresentação e fixação de identidade e local de trabalho, o cartão profissional não deve ser oferecido indiscriminadamente. Quem marcou hora para um encontro entrega-o à recepcionista que vai anunciá-lo. Costuma-se também dar o cartão após uma reunião e ao final de um almoço (jamais enquanto se estiver comendo).

✓ Ao falar com um jornalista, entregar o cartão, no primeiro momento, tem sentido, pois o nome do entrevistado é logo escrito corretamente.

✓ Após as apresentações, diante do interesse de uma ou das duas partes para um futuro contato, a pessoa mais importante tomará a iniciativa de dar seu cartão, pedindo também o do outro. Isto é um gesto de atenção por parte de um executivo mais graduado.

❑ Deve-se ter sempre, no bolso do paletó ou na bolsa, um porta-cartões de couro, o que dá status e reflete um bom nível de organização pessoal. O cartão, como uma extensão da imagem de um profissional, é entregue impecável, sem estar amarrotado ou manchado.

✓ Caiu de moda dobrar a pontinha à direita, acima, ou a dobra feita em sentido vertical, num lado, significando que o contato foi realizado e o cartão inutilizado para outros fins. Considera-se o cartão como um meio de informação dos dados pessoais.

✓ Empresários e executivos mais detalhistas que ocupam cargos de presidente e vice-presidente têm, além do cartão com a especificação do nível hierárquico, um outro, apenas com seu nome e o logotipo da empresa. Sem a titulação, ele é usado para mensagens de felicitações e pêsames ou junto com um presente, em função do relacionamento profissional.

✓ Um funcionário recém-admitido, ou que trabalhe como *freelancer*, terá seu cartão pessoal especificando a profissão (contador, *designer* industrial, advogado...) e o endereço residencial abaixo, à esquerda. Quem é novo num emprego e não possui o seu cartão da empresa, pode também usar o cartãozinho dela – só com o logotipo – escrevendo seu nome ao entregá-lo e o departamento do qual faz parte. O mais correto, porém, será entregar, junto ao cartão profissional, uma carta de apresentação de seu chefe.

✓ Em viagem, quando se fica alguns dias em uma cidade, pode-se escrever à mão, no verso do cartão, o endereço local. "Até dia tal", data da partida.

CONVITES

Há uma expressão conhecida internacionalmente – *save the date* – que significa a solicitação de reservar uma data para um acontecimento importante, cujo convite será enviado posteriormente, com a devida antecedência. É um cartão com o timbre da organização e pode ter a assinatura de um de seus diretores. No caso de convites-fantasia, papel colorido, tipologia diferente, esta comunicação já estará padronizada com a programação visual do evento.

Esta solicitação de reserva de data é tipicamente para convites em caráter social-profissional e será redigida de acordo com o estilo de acontecimento. Em muitos casos é utilizada para gerar expectativa em torno do lançamento de alguma campanha publicitária e, em vez do cartão postado, é feita através de fax aos convidados, em suas respectivas empresas.

Reserve o dia .... de .... para o jantar
comemorativo aos 25 anos da empresa ....
O convite será enviado com maiores detalhes.

Imagem Gráfica

Há dois tipos de convites onde se pode enquadrar o estilo da empresa promotora do evento e o que este representa.

✓ Padronizado, uma continuidade dos papéis de expediente, impresso no próprio cartão R.P. com o logotipo.

✓ Especial, mantendo o estilo (cor e tipologia), mas em tamanho e qualidade diferenciados. Pode ser fantasia.

É recomendável que, acima do nome da empresa, quando não for um diretor que encabece o convite, conste "À Diretoria da...", o que tornará o convite menos distanciado. Na redação e no formato, são permitidas todas as liberdades, em função do produto e do tipo de evento, mas devem ser respondidas todas as perguntas que um convidado, naturalmente, faz:

Quem convida – Motivo – Tipo de evento – Data – Horário – Local – Traje – Número de telefone para confirmar a presença. *R.S.V.P*, a sigla das palavras francesas *Répondez s'il vous plait.* (ETIQUETA NA PRÁTICA, pág. 32).

✓ Nem sempre é necessário especificar o traje, pois o horário e o local, bem como o tipo de reunião, já podem defini-lo. (Ver CÓDIGO VISUAL). Mesmo com o *R.S.V.P.*, as assessorias competentes confirmam as presenças, por telefone ou por fax, três dias antes (ou mais quando o evento envolver viagem).

✓ Nos convites sofisticados para encontros que envolvem moda e *design*, não é raro o uso do papel negro, com a escrita em tinta branca ou colorida e a inclusão de fita envolvendo o envelope.

❑ Em convites mais formais, usa-se escrever a data por extenso (Dia treze de setembro de mil novecentos e noventa e três).

✓ Empresas com intensa programação de reuniões e festas têm seu convite semi-impresso, muito prático, para almoços e jantares com número reduzido de convidados, deixando espaço para os dados mutáveis a manuscrito.

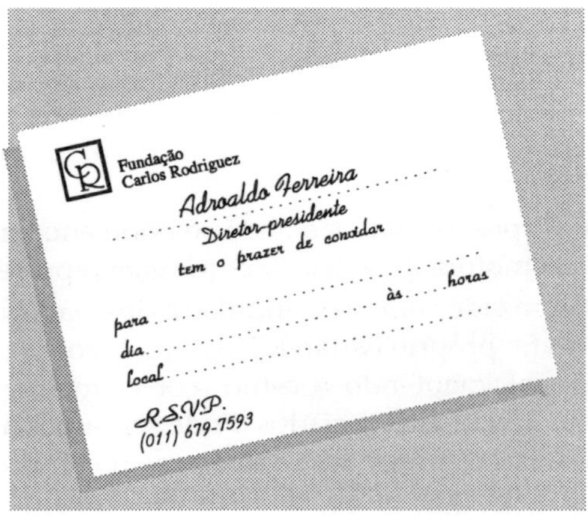

Apliques

É útil grampear ou afixar com minúsculos clipes, ou enfiar numa fenda aberta num canto do convite, um cartãozinho indicando local de estacionamento ou o motivo da festa. "Para comemorar seu aniversário" pode ser uma informação anexada ao convite que é feito por um executivo. O correto é estes acréscimos serem impressos, mas se vê muito convite com uma tirinha de papel grampeada ao alto, a informação datilografada. Inadmissível para uma recepção de categoria.

Um convite também pode estar afixado num catálogo de campanha promocional de coleção de estação, ou no cardápio do restaurante que está abrindo nova fase de suas atividades. É uma modalidade bastante usada em relação a convidados da imprensa, sendo admissível quando prepara o clima para a reunião ou antecipa informações.

Colocar um *release* envelopado com o convite é deselegante, ainda que algumas assessorias o façam para jornalistas. O correto é enviar duas correspondências, uma para o convite e outra para o *release*.

Manuscritos

Ao subscritar o envelope de um convite, um bonito talhe de letra é fundamental e, para isto, muito contribui o uso da caneta-tinteiro, em alta cotação, com o *revival* de marcas tradicionais, inclusive para os momentos de assinatura de contratos. Com a maior valorização da letra na correspondência social e empresarial, uma profissão que voltou é a dos calígrafos. O sentido mais artístico da caligrafia encontra-se em museus, nos pergaminhos com ilustrações a ouro e a cores, originários de mosteiros medievais.

Há modismos nos tipos de letra recuperados do passado e que estão entrando em programas de computador. Mas é a letra desenhada artesanalmente que adquire maior valor estético, até nas imperfeições do traço (aparas).

Usa-se escrever à mão o nome do convidado, na parte interna do convite, em meio ao texto impresso. É a personalização por excelência, sendo ideal que combine com a letra escrita no envelope. São processos dispendiosos que se justificam quando houver uma verba maior para a promoção de um evento social-empresarial, principalmente ao envolver valores de tradição e continuidade.

LETRAS MANUSCRITAS MAIS CONHECIDAS

Celia Ribeiro
Carolíngea

Celia Ribeiro
Antiqua

Celia Ribeiro
Gótica

CELIA RIBEIRO
Uncial

Por tradição, toda correspondência comercial é escrita à máquina e a era do papel carbono fica cada vez mais distante com os novos recursos da tecnologia. Se era falta de cortesia enviar uma carta ou um *release* em cópia de carbono, o computador e as copiadoras eletrônicas eliminaram este constrangimento. As cartas, porém, com cópias a outros signatários, devem ter a indicação, abaixo, como sempre foi feito: "Cópias para: Fulano, Beltrano".

Com o correio eletrônico, muitas cartas viram fax e os bilhetes manuscritos em cartões e memorandos mais informais são, por isso mesmo, supervalorizados. Grandes empresários sabem da força deles e usam freqüentemente estas comunicações personalizadas para executivos que atuam nas empresas que compõem seu grupo.

AGRADECIMENTO

Além de ficar documentada, a grande vantagem da mensagem escrita é poder ser lida no momento de disponibilidade do signatário, por isso é, também, a melhor maneira de formular um agradecimento. Um telefonema não tem hora e sempre interrompe o trabalho de alguém e, com facilidade, é esquecido seu motivo em meio à tensão do expediente.

Linda e Wayne Phillips, diretores da The Executive Etiquette Company, promotora de treinamento para executivos nos Estados Unidos, recomendam enviar cartões de agradecimento tanto para a carta que foi portadora de um "sim" como àquela que significou um "não", pois, em negócios, uma negativa hoje não significa, necessariamente, um "não" amanhã. Quem não teve sua proposta aceita agora, se, mesmo assim, agradecer a maneira cortês com que foi recebido, será lembrado quando uma nova política empresarial abrir outras perspectivas.

CUMPRIMENTOS

O destaque recebido por um executivo merece um cartão de cumprimentos de parte daqueles que pertencem ao mesmo mundo de interesses. Este tipo de correspondência de pura cortesia é desenvolvido por pessoas que investem em seu marketing pessoal, fazendo-se lembrar nas ocasiões certas. A uma executiva que recebe premiação, o cartão pode ser acompanhado de flores.

Em nível interno de uma empresa maior, o empresário que desenvolve uma liderança qualificada escreve um cartão ao funcionário que se desincumbiu brilhantemente numa tarefa. Poderia ter feito a viva voz, mas o que está escrito permanece, pode ser mostrado à família e ainda integrar-se ao currículo.

COMO ESCREVER

A correspondência empresarial está mais simples, feita em linguagem acessível, sem muita adjetivação e palavras supérfluas. Como reflexo da linguagem oral, nas cartas não se usam mais expressões-chavão – "Sendo o que se nos oferece no momento..." – na conclusão. Não se perde mais tempo com palavras que nada acrescentam e seguem em uso apenas fórmulas tradicionais menos pomposas como atenciosamente, cordialmente, cordiais saudações.

Importante é manter uma unidade de tratamento na carta. Se começa com Senhor ou Senhores, deve encerrar com uma expressão mais formal como "Cordiais saudações". Assim, a carta dirigida a uma autoridade de governo, pelo caráter mais protocolar, pode encerrar com a fórmula "Respeitosas saudações". O professor Adalberto J. Kaspary, em seu livro "Correspondência Empresarial", ressalta que, nas cartas modernas, a despedida é feita com uma frase independente do texto geral como uma mensagem à parte. Exemplo? Uma solicitação de resposta até determinada data, é melhor com o verbo no condicional, para amenizar uma ordem ou tornar mais cortês um pedido imperativo. Isto vale tanto na linguagem falada como escrita.

> *"Poderia enviar até o dia vinte de fevereiro a cópia do contrato?*
>
> *Atenciosamente,"*

> *"Será um prazer receber sua visita na fábrica. Estamos à sua espera.*
>
> *Cordialmente,"*

Cartas Modernas

✓ Vícios da linguagem oral como prolixidade e uso de gíria tornam-se ainda mais evidentes numa correspondência escrita.

✓ No formato das cartas, está sendo abolida a exatidão na margem direita, perda de tempo do datilógrafo. Vale a pena em documentos com reprodução.

✓ Siglas também são separadas com hífen no final da linha, desde que fique antes do sinal mais de uma letra. Ex.: FI-ERGS.

✓ O traço na folha de papel para receber a assinatura do remetente da carta caiu de uso. Em vez do carimbo com nome e cargo de quem assina, como é exigido por repartições públicas, escrevem-se estes dados à máquina.

✓ Palavras estrangeiras são escritas em grifo ou entre aspas. *Affaire, sine die, fashion, chairman* (presidente de junta de conselho).

✓ É sempre um risco assinar uma carta sem antes ler, pois erros ocorrem com os mais caprichosos digitadores e datilógrafos.

❑ Há selos bonitos e, por isso, não é demais fazer uma escolha cuidadosa, principalmente quando a correspondência for para um país estrangeiro. Se o destinatário jogar tênis, gostar de velejar, um selo que tenha estes símbolos vai agradar como um presente.

✓ Ao abrir uma empresa, o empresário deverá incluir no material para correspondência algumas publicações básicas da Empresa Brasileira de Correios e Telégrafos: Normas de Endereçamento Postal, Manual de Procedimentos e Manual de Endereçamento de Correspondências. E um bom livro sobre correspondência empresarial para freqüentes consultas.

Dobrando o papel de carta

Abrindo a correspondência

Não se abre correspondência na frente de outra pessoa, é como ignorá-la, virando as costas para ficar ouvindo outra. Num escritório, em linhas gerais, é diferente, pois bilhetes, comunicações e fax são recebidos diante de uma visita, mas não se lê sem justificar: "Deixa ver se há alguma coisa urgente neste fax".

Abrir uma carta durante uma reunião e recostar-se na cadeira para lê-la não é um pecado contra a cortesia em duas circunstâncias: uma carta de apresentação entregue pelo próprio portador e uma correspondência urgente. "Com licença, eu estava à espera desta carta com uma informação muito importante."

Neste caso, a pessoa de fora discretamente irá até a janela, olhará um quadro, abrirá sua agenda, atitudes para deixar a outra mais à vontade.

Há objetos que, além da utilidade, definem o *status* de um escritório em relação à correspondência. Uma espátula elegante para abrir o envelope, ou mesmo uma tesoura de *design*, evitando envelopes rasgados, refletem o capricho de um executivo e de seus assessores. São detalhes que se estendem à secretária que costuma abrir correspondência diante de pessoas, na salinha de recepção.

❏ Toda correspondência pessoal deve ter, no envelope, um carimbo (usam-no em vermelho) ou um adesivo sinalizando "Confidencial" para evitar que seja aberta por terceiros, numa atividade rotineira.

COMPUTADOR

A informatização nas empresas criou um ambiente de trabalho silencioso, em que as pessoas ficam recolhidas atrás das telas. A relação é muito estreita entre o instrumento de tecnologia avançada e o cérebro humano, exigindo atenção bem maior que uma máquina datilográfica. Por isso mesmo, gestos bruscos batendo num terminal que está em uso ou um empurrão involuntário no digitador fazendo com que este toque nas teclas erradas são recebidos como invasão de espaço e exigem sempre um pedido de desculpas.

Com seu poder multiplicador de atingir a um maior volume de pessoas instantaneamente, nos sistemas ligados a redes, o computador catalisa relacionamentos cordiais e mais objetivos e deve ser utilizado com esta finalidade também.. Uma mensagem com toques de humor é bem recebida, já as brincadeiras inócuas significam perda de tempo.

O tratamento dispensado a um companheiro, via computador, deve ser igual ao feito a viva voz, mas com palavras melhor avaliadas. É linguagem escrita. "Venha ao meu escritório agora" é uma ordem seca. "Quando puder, venha ao meu escritório. Precisamos falar sobre tal assunto" é uma mensagem recebida com agrado e o resultado será esta pessoa dirigir-se com melhor disposição de espírito para a conversa. Críticas desfavoráveis devem ser redigidas com a mesma cortesia com que se fala ou se escreve um bilhete.

A agilidade deste meio de comunicação faz muita gente esquecer o perigo de uma mensagem ser passada para a *printer*. No papel, pode virar prova contra alguém, e muitas situações embaraçosas podem surgir, por isso se deve pesar o que se escreve no terminal. Exemplo? O comentário enviado a um companheiro sobre o comportamento de outro ou, pior ainda, do chefe, acabar no próprio terminal deste, por erro de comando. Até uma demissão pode ser provocada pelo mau uso do computador.

Sabe-se que um novo líder muda o convívio do grupo. Ele dá o tom. Sua comunicação pelo computador acelera este processo, pois a tendência natural é fixar melhor o que é lido. "Parabéns pelo bonito anúncio que começou hoje a aparecer nos jornais" é a manifestação de estímulo dada pelo diretor de arte ao *designer* responsável. Quem desfruta das facilidades de um terminal não tem desculpas, se não agradecer uma mensagem de cortesia como esta.

A Língua Falada

O mínimo exigido de uma pessoa instruída é que conheça sua própria língua e dela faça uso correto, não só ao escrever como ao falar. Em geral, as pessoas cuidam muito mais como escrevem do que como falam. Um profissional causa má impressão, por mais capaz e bem-apessoado que seja, se eliminar os "s" no final das palavras, usar concordâncias erradas, verbos mal conjugados. Por exemplo, dizer "Para mim ver" em vez de "Para eu ver" é um mau emprego do pronome. O importante não é falar com pernosticismo, mas de maneira simples e correta, atingindo a comunicação em todas as faixas culturais. Os executivos devem dar o bom exemplo ao pessoal mais humilde e, com isso, a própria imagem da empresa fica fortalecida em todos os seus escalões.

Quantas vezes se agradece durante o dia, cumprindo o gesto mínimo de boas maneiras? *Thank you, gracias, merci, danke schön* é dito sempre corretamente em inglês, espanhol, francês e alemão. Já o português tem as suas manhas e exige a flexão do gênero. Uma mulher dirá sempre: obrigad**A**!

AO TELEFONE

"Companhia de Teleconvenções. Bom dia." Esta é a forma correta de a telefonista atender uma chamada. Como não há a comunicação pela imagem e os gestos, é a dicção, o timbre de voz, a inflexão e a linguagem precisa que garantem um eficiente contato telefônico. As telefonistas e secretárias não podem responder a uma voz feminina com "querida" ou "meu bem", nem usar o tu ou o você, mas adotar a terceira pessoa do singular, sem o pronome. Imagina a reação de uma senhora de idade ou da esposa do diretor-presidente do conselho, ao ser tratada deste modo. Lamentavelmente, no Brasil, ainda são comuns estes tratamentos vulgares que repercutem mal para uma empresa. É importante lembrar que a pessoa que chama, sabe a quem está se dirigindo ou tem condições de identificá-la posteriormente.

Toda reclamação deve ser recebida com tranqüilidade. A melhor maneira de acalmar o ânimo do reclamante é pedir que explique bem o problema, falando pausadamente. "Estou anotando, a fim de tomar as devidas providências". Com esta frase, o outro sente maior responsabilidade no que diz.

Aguarde, por favor

Injetar uma fita com música no telefone, enquanto a chamada for transferida para outro setor, revela que a ligação está sendo feita e não caiu a linha. O recurso do som suave, tipo ambiental, volume baixo, qualifica um serviço, e nas empresas de comunicação, utilizar a programação de uma rádio, com música e notícias, está de acordo com seu tipo de prestação de serviços.

Durante uma conversa, não se pode manter silêncio por muito tempo. "Sim... É isso mesmo... Sei..." são as expressões usuais. Enquanto num diálogo face a face elas não são necessárias, ao telefone é importante e, também, pequenos comentários mantêm mais viva a comunicação.

Quem chama é que espera

É freqüente, na prática, ocorrer o contrário. O executivo pede à secretária que telefone e, enquanto isto, ele disca para uma outra pessoa, diretamente de sua mesa, não estando disponível quando a primeira ligação for completada. "Aguarde um momento, por favor" é o que uma aflita secretária, nesta circunstância, pode dizer, mas a descortesia fica caracterizada. Depois de 20 segundos de espera, a pessoa que foi chamada tem o direito de desligar. As secretárias ficam sempre constrangidas nesta situação e, ao fazer o retorno, pedem desculpas.

"Você tem tempo agora para conversarmos sobre tal assunto?" Esta indagação precede a todo contato pelo telefone e a resposta negativa resultará em nova ligação, mais tarde, daquele que estava impedido no momento.

Quando uma ligação é interrompida por problemas técnicos, quem chamou é que volta a telefonar e também toma a iniciativa da despedida. Nada é rígido em boas maneiras e se pode perfeitamente pedir desculpas a quem telefonou, alegando uma hora marcada ou a chegada de alguém no escritório, encerrando o contato.

Irritante é ouvir a pessoa falando com outras à sua volta, durante o telefonema, ou até atender o outro aparelho. Num escritório isto acontece, e dizer: "Um momento, por favor", contorna a situação. Quando se recebe um visitante e o telefone chama, pede-se licença para atendê-lo, e uma conversa mais longa, de assunto importante, é postergada: "Chamo mais tarde."

A intermediação

O ideal, quando não houver um relacionamento com o executivo, é usar de intermediação. A pessoa que fez o primeiro contato informará: "A secretária do doutor Fulano se chama Silvia e ela já sabe que você vai marcar uma hora com ele." Isto facilita o próximo contato telefônico e o processo flui bem mais rápido.

Com um bom treinamento e a convivência, o chefe criará um código com a secretária. Se ele estiver no escritório quando ela atender a uma chamada e perguntar "Quem está falando?" e depois disser: "Não, ele não está no momento", é um mau serviço. O correto é: "Vou verificar se o sr. Fulano pode atender, agora. Quem está falando? Pode me adiantar o assunto?" Soa melhor para quem chama e permite ao chefe atender ou não, de acordo com sua disponibilidade e interesse.

O telefone, numa empresa, é para contatos de trabalho, e as ligações de ordem pessoal devem ser breves. Quando muitos funcionários trabalham num mesmo espaço, nem sempre a telefonista sabe quem está no momento e os colegas é que atendem. Há limites. Não se pode, sem um motivo justificável, ficar atendendo e anotando os recados de vários amigos de um companheiro.

Transferência de ligação

"Aqui fala Mario Seixas, da empresa Tal. Gostaria de falar com Ricardo Menezes, do Departamento de Compras." A telefonista dirá: "Pois, não, vou transferir para o setor." Estas respostas óbvias dadas ao telefone significam que o procedimento está sendo feito, porque o silêncio deixa dúvidas para quem está do outro lado da linha. Se é uma secretária que atende no Departamento de Vendas, num serviço de alta competência, a telefonista já lhe terá dito quem vai falar com ela. "Pois não, senhor Seixas. Qual o assunto que deseja tratar com o senhor Ricardo?"

É muito importante antecipar o motivo da chamada. Ganha-se tempo e, às vezes, a própria secretária está capacitada a solucionar o assunto com mais rapidez. Para que a comunicação deslize, sem perda de tempo, a linguagem não pode deixar dúvidas. No final do contato, o agradecimento, de ambas as partes, é imprescindível numa relação profissional.

Secretária eletrônica

Junto com o fax, este aparelho acoplado ao telefone faz parte do equipamento também na casa de um executivo. Não comporta gravar brincadeiras na mensagem que atende à chamada.

"Você ligou para 026-31003. No momento não posso atender. Deixe seu nome, hora em que telefonou e o telefone para o qual poderei dar o retorno. Obrigado." Por motivo de segurança, muita gente está deixando de dar seu nome e ninguém mais diz: "Estarei ausente, em férias, até o dia tal." A mensagem deve ser transmitida em voz pausada, principalmente ao dizer o número de telefone e os dados que deverão ser anotados, durante a recepção. Exemplo: "Beatriz, aqui é Mário. Telefonei, dia 5, às 18 horas, porque estou voltando de Nova Iorque e estive com William Denis, no escritório da sua companhia." Mário, sabendo do que se trata, procurará contatar com Beatriz.

Muita gente usa a secretária eletrônica para selecionar as chamadas. Com o número cada vez maior de profissionais que trabalham em casa, na sua *workstation,* ao ouvir o início de um recado, se for de interesse no momento, o destinatário levanta o fone e estabelece o contato logo.

Telefone celular

Em rodas femininas, ouvem-se queixas contra executivos que convidam uma mulher para jantar e ficam atendendo chamadas à mesa. O certo, se estiver aguardando algum telefonema importante, é dizê-lo à companheira antes. Quando soar o celular, pedir licença e falar discretamente. Tratando-se de um grupo, o melhor é sair da mesa. Isto acontece muito em clubes.

Numa reunião de negócios, quando os executivos não querem ser interrompidos, até por uma questão de aproveitamento do tempo, o ideal é deixar o celular com uma secretária que atenderá as chamadas, avisando numa emergência.

Fax

Há nuanças entre o uso do fax, do telefone e da carta. Ele não é sigiloso como a correspondência envelopada, mas é bem mais eficiente que o telefone, havendo especificação de datas, nomes e horários. O fax deve ser escrito numa linguagem simples, quase oral, mas correta. Para maior clareza das informações, principalmente enviadas ao exterior, usa-se, em alguns escritórios, o ampliador para que o tipo fique maior.

O diálogo para a efetivação de um negócio pode ser feito antes, por telefone, lançando os dados preliminares ou completando o que foi discutido face a face. A inflexão dá às palavras um maior significado, mas é através do fax que uma proposta ficará efetivamente clara e concreta.

Relações com a Imprensa

Abrir um canal para notícias que envolvem a vida de empresários e executivos, motivar os jornalistas a colocar notas sobre lançamentos de produto em seus veículos exige sutileza que vai além de um simples *release* enviado pelas assessorias de imprensa. Nas pequenas e médias empresas, um convite para assistir a um desfile ou participar de uma festa deve ser seguido de um *for memory,* o telefonema lembrando o jornalista do compromisso. "Enviamos o convite para o desfile e gostaria de lembrá-lo. Para nós é muito importante que você veja este trabalho."

As festas são realizadas – pequenos coquetéis, almoços ou grandes eventos – também para provocar notas nas colunas. Estas são as mais cobiçadas para a divulgação, principalmente a coluna social e os informes econômicos. Indústrias e lojas que atuam no setor da moda têm o maior interesse em figurar em matérias com fotos de produção de modelos. A comunicação com o editor deve ser objetiva.

✓ "Meu produto tem muita qualidade e nunca consehui participar de uma produção, o que preciso fazer?"é uma comunicação equivocada.

✓ "Para nós é importante que você conheça a coleção de verão. Gostaríamos de sua opinião sobre as calças de microfibra, resultado de uma pesquisa que realizamos, há pouco, na

Europa."De acordo com a receptividade do editor, é feito o convite para uma visita à fábrica.

O exemplo com produto de moda se aplica aos demais segmentos. O jornalista vive de notícias e o assunto deve ser 'vendido" a ele. Não adianta o empresário e a sua assessoria de imprensa elogiarem seu próprio produto. A estratégia certa é despertar a curiosidade, abrindo o caminho.

✓ Telefonemas insistentes e presentes, muitas vezes afastam um jornalista zeloso de sua ética profissional. Se o produto não for de interesse editorial imediato, insistir só prejudica um futuro contato.

✓ As críticas devem ser respeitadas e, num encontro casual posterior, cabe conversar com o jornalista naturalmente.

"Acho que sua colocação foi correta, tivemos mesmo problemas técnicos na apresentação."

✓ Reclamações são, em geral, melhor sucedidas falando diretamente com o jornalista responsável do que escrevendo uma carta ao diretor do jornal. Pior ainda se for com cópia para o autor. A repercussão negativa de uma informação equivocada deve ser bem avaliada até justificar queixa à direção do veículo.

❑ É sempre conveniente marcar hora, pelo telefone, para uma visita à redação, pois é um contato profissional e a pessoa será sempre melhor recebida. Chegar em momento inadequado pode pôr fora a oportunidade para uma boa entrevista, pela falta de tempo do editor.

✓ Presentes a jornalistas devem ser enviados à sua residência. Em caso de dúvida, telefonar perguntando qual o melhor local para enviá-los. Um presente deve ter a medida certa, pois, se for exagerado, poderá provocar a devolução.

✓ A deferência para com um profissional não precisa ser expressa por presentes. Receber uma informação privilegiada muitas vezes constitui melhor deferência do que um presente.

✓ Um fichário das datas de aniversário é importante. Flores ou bombons para uma editora, um vinho de boa safra para um *connaisseur*, enviados com um cartão de felicitações, sensibilizam, porque a personalização do presente lhe confere mais valor.

O PODER DO APERTO DE MÃO

Ao dizer que a mão é a parte visível do cérebro, o filósofo alemão Emmanuel Kant refere-se aos estados de alma que ela expressa. O medo pode causar o suor, o desejo de dominar imprime mais força à mão que cinge a do outro numa manifestação de civilidade. O aperto de mão, gesto simbólico de saudação instituído no mundo ocidental, estabelece uma comunicação mais sensível nas relações de negócios, e é através da etiqueta que se chega ao control da expresão gestual para causar boa impressão e se sabe quando não estender a mão (a pessoas que estão comendo, é o exemplo mais forte).

A recomendação de não estar de luvas ao estender a mão, num recinto fechado, está calcada na preservação da comunicação não-verbal que, no mundo dos negócios, é um sinal muito importante. Pelo histórico aqui exposto, não corresponder ao gesto de alguém que estende a mão para o cumprimento, diante de testemunhas, é uma grande grosseria, mesmo se as relações pessoais estiverem cortadas.

A origem do aperto de mão é a demonstração de que dois homens que estabelecem uma relação estão desarmados. Durante o Império Romano, porém, não era uma expressão amistosa, mas a prova de compromisso de honra. E foi com esta intenção que o aperto de mão começou a ser adotado, há quase dois séculos, durante a Revolução Industrial, para selar os negócios, e daí se difundiu como um gesto de cortesia no relacionamento social.

Como apertar a mão

Tendo como referencial a regra de etiqueta de ser a pessoa mais importante quem toma a iniciativa de estender a mão, pode-se seguir alguns preceitos para estabelecer a boa comunicação gestual.

✓ Um aperto de mão tem, no máximo, cinco segundos de duração, mas o tempo que se mantém este contato é um sinal da maior ou menor significação dada ao gesto, acompanhado pelo olhar direto nos olhos do interlocutor.

Domínio da situação

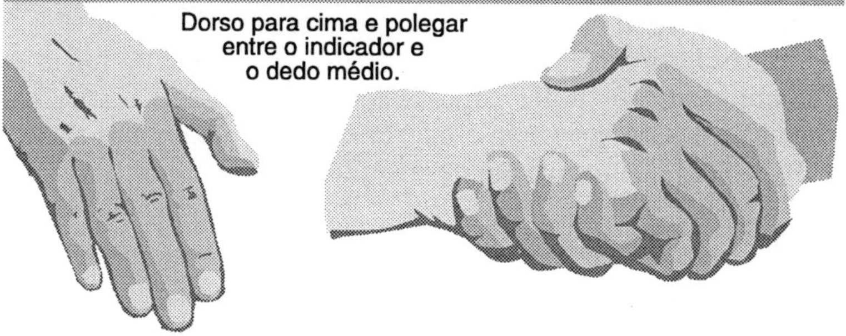

Intenção de cooperação

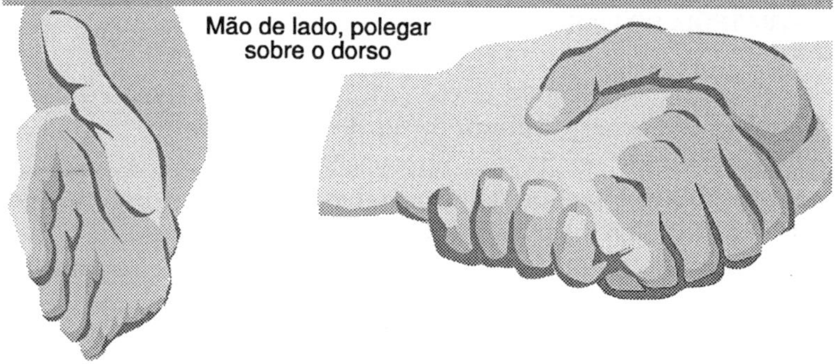

Aceitando as condições

✓ O contato físico deve ser agradável. Se dar a mão mole revela insegurança, oferecer apenas a ponta dos dedos é sinal de desprezo, e apertar demais é uma grosseria.

✓ Quem sua nas mãos, especialmente diante de uma tensão emocional, deve ter papel absorvente no bolso e, discretamente, antes de enfrentar o aperto de mão, enxugá-las. Para a mão, gelada é esfregar uma de encontro a outra.

Estilos

Ainda é no trabalho de David Lewis que se pode recolher elementos para fazer uma classificação de estilos em que o aperto de mão revela diferentes tipos de executivo. Pode ser estendida às mulheres esta conceituação, mas, muitas vezes, para se afirmar, uma empresária pode dar maior vigor ao gesto.

Estratégia do Olhar

O psicólogo David Lewis enfatiza, em seu livro *The Secret Language of Success*, a importância do olhar, que na linguagem silenciosa pode expressar aprovação, ironia, contrariedade, confiabilidade e persuasão. O olhar pode ser perturbador, por isso não se olha para um colega de trabalho que está sendo repreendido. É como se o fato não estivesse chamando a atenção.

No trato de negócios, esta comunicação deve ser bem exercida. As mulheres ficam mais facilmente constrangidas que os homens, quando um interlocutor detém por muito tempo seu olhar no rosto dela. É uma questão de dosagem, comenta David Lewis.

Durante uma reunião, o olhar fica normalmente enfocado num triângulo imaginário, abrangendo os olhos do interlocutor, ficando o vértice na ponte do nariz. Ao fixar o olhar nesta zona do rosto dele, fica expressa a seriedade e o interesse manifestado pelo que está sendo dito. Por conseqüência, este companheiro ficará mais confiante em si mesmo.

Numa relação social, o triângulo tem seu vértice prolongado até um pouco abaixo do queixo. O tempo em que o olhar é fixo no rosto de uma pessoa, quando está próxima, deve ser menor do que o dirigido a um palestrante. Pode-se estabelecer intimidade com alguém olhando-o fixamente.

O Triângulo Imaginário

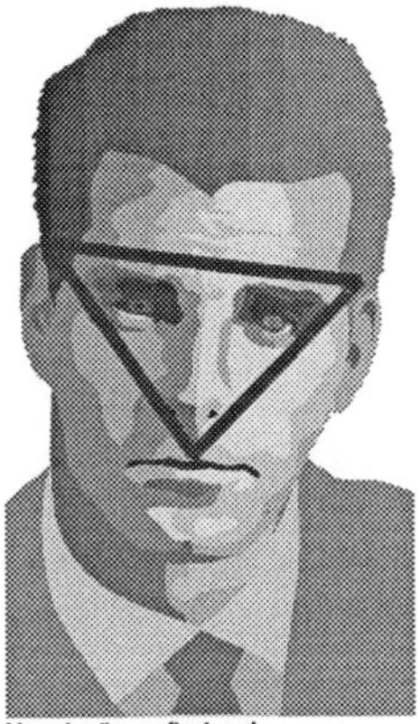

Na relação profissional

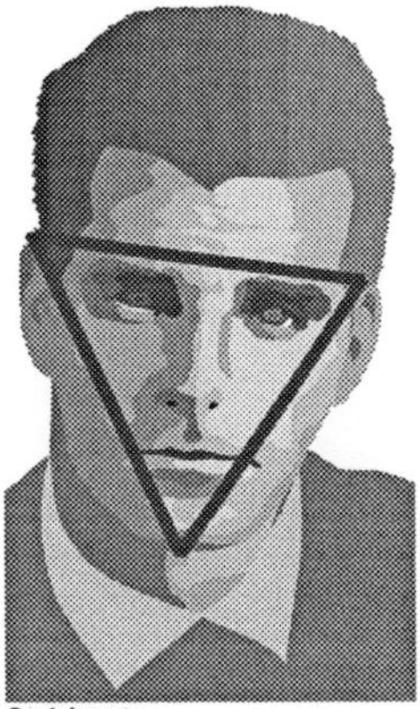

Socialmente.

Estas considerações servem como um referencial no convívio profissional, mas a verdade é que a boa comunicação é estabelecida quando o vendedor olha atentamente nos olhos do cliente que está falando. Se estiver olhando em outra direção, o comprador acaba irritado e pode perguntar: " Está me ouvindo?"

Em compensação, um olhar dirigido muito tempo ao rosto de um interlocutor tímido provoca o constrangimento dele. Gesticular, levar a mão perto dos olhos é um recurso para amenizar a expressão e deixar o interlocutor à vontade, desviando seu olhar para o gesto.

É em torno de uma mesa de reunião que mais fica em evidência o olhar. A atenção dos participantes é avaliada também pelo olhar dirigido a quem está com a palavra. Em auditórios, é desconcertante para um palestrante seus ouvintes estarem de cabeça baixa, olhando em direção da janela ou desenhando num papel. Especialmente, quem fica na primeira fila do auditório deve seguir a boa educação de olhar para o orador.

Reuniões

As condições básicas para uma reunião fértil são as mesmas em torno de uma mesa informal, no escritório ou numa sala tanto da empresa como envolvendo um grande número de participantes para uma comunicação mais solene.

Existem procedimentos considerados óbvios no preparo de um encontro que precisam ser bem trabalhados. Parece tão óbvio os interessados de uma reunião interna terem sido informados dela, que os gerentes esquecem de fazer a comunicação. Cada um pressupõe que o outro tenha tomado a providência.

O Que É Preciso Para Uma Reunião Eficiente

✓ Ser necessária para não reverter em perda de tempo. Muitas vezes, algumas chamadas pelo telefone interno resolvem e as decisões são tomadas sem precisar reunir o grupo.

✓ Marcá-la de acordo com a disponibilidade de horário da maioria de seus participantes. O horário biológico também conta: sair da mesa de almoço direto para a reunião é desprezar a meia hora em que o processo digestivo provoca sonolência.

❑ Só a urgência na discussão de um tema justifica uma reunião em final de tarde de sexta-feira, quando a atenção da maioria já está voltada para o fim de semana.

✓ A convocação deve ser feita antecipadamente para garantir a boa disposição de todos a se programarem para o encontro. Reuniões de última hora exigem o cancelamento de compromissos profissionais do executivo, e podem até representar a perda de um cliente.

✓ O local deve estar em temperatura agradável, de preferência um pouco mais fresco do que quente, pois o calor provoca preguiça. Luz é comunicação e, portanto, evitam-se as penumbras.

✓ Cadeiras confortáveis e que não tenham braço, deixam maior liberdade de gesticulação. Anotações estão implícitas numa reunião e blocos, com o logotipo, fazem parte do material de trabalho e ajudam a fixar a imagem da empresa internamente.

✓ Hora certa para iniciar, e não se prolongar muito após o tempo previsto. De olho no relógio de pulso e na agenda, o líder tem condições de disciplinar o grupo, contornando os apartes longos e as discussões fora da pauta.

O Briefing

A pauta da reunião deve ser comunicada antes para que todos se preparem. Os memorandos ou a mensagem pelo terminal são os meios mais eficazes para esta comunicação. O líder comparece com o resumo da situação que será discutida, e este *briefing* deve estar numa pastinha ou num arquivo, de acordo com o estilo de trabalho. Esta apresentação do material não é só para comodidade do executivo, mas para conferir-lhe maior importância, valorizar os conteúdos abordados e causar boa impressão aos participantes de outras organizações presentes.

Se a reunião for em seu escritório, o chefe, homem ou mulher, estará de pé quando os companheiros chegarem, recebendo-os na porta. Eles só vão sentar depois que o líder tomar assento.

Postura do líder

Os encontros *interface* são uma oportunidade para tirar partido da linguagem não-verbal. O líder senta-se no mesmo nível dos demais executivos para não ficar em posição de inferioridade, tendo que olhar para cima ao falar com eles. É por isso que, ao dar uma ordem, um gerente oferece uma cadeira para seu assistente. Há empresários baixinhos que, discretamente, têm uma almofada ou estofamento mais alto em sua cadeira, para estar na mesma altura dos seus interlocutores.

Disposição da mesa

Não é a cabeceira que confere autoridade a quem conduz uma reunião, mas sim o desempenho e o equilíbrio na distribuição dos lugares. O líder deve ficar visível a todos os participantes, e seus assessores diretos estrategicamente distribuídos, frente a frente, para que melhor se estabeleçam as relações de entendimento, um completando o pensamento do outro a partir do olhar.

A mesa oval está sendo preferida, evitando as cabeceiras. Em reuniões internas, com um número maior de participantes, funciona bem uma mesa menor com o líder e seus assessores à frente de um miniauditório formado em círculo. A comunicação é muito mais forte e há executivos que até preferem as cadeiras com mesinha acoplada no braço direito, onde apóiam os papéis.

Lugares

É visto como privilégio sentar-se à mesa de reunião ao lado do líder. Não cabe aos mais jovens, ou ao funcionário recém-admitido, dirigir-se logo a esta posição. A razão está no protocolo: a direita e a esquerda da pessoa mais importante são lugares de honra e isto fica no subconsciente das pessoas, mesmo que a situação seja de informalidade. Na maioria das reuniões em nível de direção, com executivos que não são freqüentadores habituais, se o diretor-presidente não convidar os dois companheiros para sentarem-se ao seu lado, a tendência é aquelas cadeiras ficarem vagas. O que fazer? Quem está mais próximo senta-se ali.

Propositadamente, empresários colocam à sua direita ou à sua esquerda os executivos mais jovens, ou aqueles recém-chegados à empresa, para promover mais rapidamente o entrosamento deles com o grupo. O ideal é aproveitar as reuniões internas para o exercício das maneiras entre os executivos que vêem no comportamento formal dos mais graduados um modelo a seguir.

MANEIRAS

Uma reunião setorizada ou de vários departamentos de uma empresa é um cenário propício para revelar o nível de educação das pessoas. Em verdade, está sendo feito um teste. Uma intervenção desastrosa de um funcionário com quem o empresário ou o gerente não têm convivência no trabalho acaba diminuindo créditos em sua avaliação. É bom medir as palavras diante do grupo, porque a reunião não se limita às quatro paredes de uma sala, mas alimenta a conversa de corredor.

A apresentação de um novo gerente, responsável pela vida funcional do grupo, é feita geralmente em reuniões. É ocasião de ouvir e não de fazer perguntas para se fazer notar pelo chefe que está chegando. Quando este faz perguntas, é seguida a hierarquia, e os funcionários deixam seus superiores com a palavra e não ficam expondo os problemas do setor. Melhor do que se fazer notar numa reunião, é deixar que, posteriormente, o próprio trabalho desperte a atenção.

O FUMO

Numa primeira reunião, quem dá o exemplo ou verbaliza que se pode fumar é o líder. Mesmo num clima informal, não cabe a pergunta "Permite..." já com o maço de cigarros na mão. Os fumantes sabem que são discriminados na maioria dos países, e, numa sala de reuniões, devem ficar próximos, de preferência abrindo uma janela.

Cuidado com os cinzeiros sobrecarregados, que deixam um cheiro desagradável. Daí a necessidade de coletores de cinza, em metal, com tampa, do mesmo tipo usado em festas, colocados nas pontas de mesa.

Comportamento

Há alguns tópicos a serem avaliados na etiqueta profissional relativa às reuniões, servindo como um teste de auto-avaliação.

❑ Ser pontual é o mínimo que se exige de um líder e dos integrantes de seu grupo. Havendo uma razão forte de atraso, deve ser comunicada antes à secretária ou através de mensagem. A entrada na sala será discreta e o retardatário não deve pedir licença ou cumprimentar em voz alta o grupo. Um atraso inesperado será justificado à saída da reunião.

✓ Sempre que houver um novo elemento, este se apresentará ao líder antes de começar a reunião. O coordenador, por sua vez, fará a apresentação do colega ao grupo, dando alguns referenciais a seu respeito. Apenas como exemplo: "Nosso novo colega, Fulano de Tal, está vindo do Rio e sua experiência lá foi com a firma XY."

✓ Numa reunião familiar, os ânimos podem ficar alterados no calor de uma discussão, pois é o emocional que pauta o relacionamento. No trabalho, não deve ser assim. Em geral, numa reunião, a irritação não é provocada pelo conteúdo da discussão e, sim, pela forma de o interlocutor expor suas idéias, com ironia ou agressividade. É mais uma comprovação do quanto a prática da cortesia facilita o convívio empresarial.

✓ Cortar o pensamento que está sendo verbalizado dentro de uma seqüência lógica atrapalha e pode dispersar a atenção de quem está falando, prejudicando uma conclusão importante. Espera-se que a pessoa conclua para fazer a intervenção. É o tipo da situação em que ajuda muito a expressão fisionômica ou o gesto de levantar a mão pedindo o aparte.

✓ Durante a reunião, mantém-se silêncio e os comentários são feitos a viva voz, para provocar o debate. As conversas colaterais não contribuem em nada. Nas reuniões com disposição em círculo, ao dirigir-se à mesa do cafezinho ou para tomar água, o funcionário não atravessa o espaço à frente dos coordenadores. Sai discretamente junto às cadeiras. Melhor ainda se andar atrás da última fila.

Bebidas

O preparo do material de uma reunião mais longa inclui bebidas: água gelada e cafezinho. O copo d'água já pode estar diante de cada lugar e depois o garçom serve o café. Mais prático é preparar um carro de chá com garrafas de água mineral, copos e térmicas com café, açucareiro e adoçante artificial para *self service*. Informalmente, as xícaras e copos podem ser descartáveis, com suportes padronizados.

CRACHÁ

A identificação do pessoal interno significa a quebra de uma barreira de gelo quando nem todos sabem quem é quem ou a função exercida dentro da organização. No Japão, o crachá é altamente valorizado na promoção da intimidade empresarial: na linha vertical, facilita ao presidente da empresa dirigir-se a um funcionário pelo seu nome. Os convidados de uma reunião também recebem o seu crachá com a indicação da empresa a qual pertencem e a sua função.

A programação visual do crachá deve facilitar sua leitura. O logotipo da empresa enorme e o nome da pessoa, por extenso, em tipo pequeno dificultam a identificação. Adroaldo Silva

Ferreira aparece no crachá com dois nomes ou como ele é mais conhecido. Também a função dele deve estar bem legível. Os japoneses usam o recurso da cor ou pequenos desenhos sinalizando o departamento ao qual pertence o empregado. Isto evita que o empresário que se dirige ao seu funcionário Gabriel pergunte como vai a venda de carros, quando este trabalha no almoxarifado.

Para o crachá cumprir plenamente sua função, o departamento de pessoal pode recorrer ao *house organ*, a cartazes distribuídos pelos corredores de todos os departamentos da empresa, incluindo a área ocupada pela alta direção.

Formato de Reuniões

✓ Palestra: o mais simples e tradicional. Alguém discorre sobre um tema e o público expressa-se, ao final, fazendo perguntas.

✓ Painel: o assunto é apresentado por um número determinado de painelistas que fazem suas proposições sem debate acirrado. Há um líder, comparável a presidente da mesa.

✓ Seminário: o termo surgiu na universidade. É uma sessão de aprendizado e não uma aula, em que algumas pessoas fazem a exposição. Uma delas é o líder.

✓ Workshop: também promove o aprendizado, mas o termo – loja de trabalho – indica a proposta de idéias e como concretizá-las. É mais voltado para o experimental.

Muito importante para o sucesso do seminário e do painel é a competência do moderador. Ele não participa do debate e, por estar de fora, tem maior possibilidade de disciplinar o tempo para cada um falar, ordenar as perguntas do público e fazer a apresentação dos membros da mesa. O mediador pode ficar sentado na primeira fila do auditório ou num púlpito lateral. Mediador não se improvisa entre os executivos da empresa apenas porque tem boa voz. Ele precisa estar preparado para exercer este importante papel.

Convite

A participação de um palestrante estrangeiro deve estar assegurada por uma comunicação feita com bastante antecedência. Os convites para o evento, quer em caráter interno como externo, são enviados com o mínimo de duas semanas de antecedência, para as pessoas poderem se agendar. Em seminários maiores, com muitos temas, usa-se anexar ao convite um texto discriminativo de quem são os participantes e sua importância.

Uma gafe que fere a imagem da organização promotora de uma reunião é lançar o nome de uma personalidade e, à última hora, ela não comparecer por não terem sido bem avaliados os detalhes.

O assunto de uma palestra ou um seminário nem sempre interessa a todo o público interno da empresa e não se convida só por convidar. É uma perda de tempo e este pessoal pode perturbar os trabalhos. Nestas ocasiões, um colega de departamento acaba levando outro que nada tem a ver com o temário.

ROTEIRO

Também nestas apresentações técnicas é recomendável seguir um ritmo para manter vivo o interesse dos participantes e espectadores. A mente tem um limite para apreender as informações, e programas muito longos são cansativos. Numa manhã de trabalhos, é melhor optar por quatro sessões do que cinco, de 50 minutos com pausa de 5 minutos na primeira e na segunda partes, e o *coffee break* de 10 minutos no meio do programa.

TEMPO

Na elaboração do programa de palestras que integram um seminário, deve ser deixada uma folga de 15 minutos, prevendo o não-cumprimento exato do tempo. É preferível terminar um pouco mais cedo às pessoas começarem a deixar a sala. Ao tratar com os palestrantes, deve ser fixado o tempo disponível de cada um e o espaço para perguntas do público. O mediador combina a senha para avisar os últimos cinco minutos de quem está com a palavra. Em geral, os palestrantes experientes cuidam disto, colocando o relógio de pulso sobre a mesa. É frustrante para o auditório e desconsideração com o palestrante que o mediador, ao apresentar o penúltimo convidado, diga: "Nosso tempo está esgotado e pediria que fosse sucinto porque ainda temos mais um orador." Por incrível que pareça, isto pode acontecer, num clima de estresse.

Alguns políticos, no exercício de cargos públicos, querem falar além da abertura formal que lhes foi solicitada. Exemplificando: um secretário de Estado, médico, não resiste à tentação de "adiantar" o assunto que será desenvolvido por um técnico em medicina hospitalar, um dos palestrantes da mesma reunião. Além de estourar o tempo e perturbar toda a sequência, esvazia o impacto de quem, por direito, foi incumbido do tema.

Mesa de Palestrante

Compor uma mesa permanente para os palestrantes, quando não há debate previsto, nem sempre funciona. O convidado, convocado para as 9 horas, senta-se e aguarda até as 11 horas para falar. A tendência é cada um retirar-se após sua intervenção e deixar o lugar vazio. Perante o público, parece uma desconsideração aos demais integrantes da mesa.

Nesta situação, antes de retirar-se, o palestrante desculpa-se com aquele que vai falar, alegando compromissos. Também deve ser avaliado o lado comercial, pois a maioria dos profissionais recebem cachê e cobram pelo número de horas dedicadas ao seminário. Pior ainda é o que presta uma colaboração, sem honorários, e ainda é prejudicado no atendimento de seus interesses particulares, por isso é melhor evitar as mesas grandes.

Há três maneiras de distribuir os lugares para os palestrantes, quando não há debate:

1. Usar uma mesa menor com o anfitrião, ao centro, presidindo, o apresentador à sua esquerda e o lugar para o palestrante à direita. Em algumas destas reuniões, anfitrião e apresentador cumprem papel duplo. Na primeira fila do auditório ficam as personalidades mais importantes e os palestrantes, à medida que forem chegando. Ao concluir sua intervenção, o palestrante é cumprimentado pelas pessoas à mesa, que se levantam para o aperto de mão. Esta mesa não impede que haja púlpito, colocado à esquerda da platéia.

2. O púlpito é sempre mais cômodo. O apresentador que fica sentado, na primeira fila, deve levantar-se e chegar ao pé do púlpito, de frente para o público, para anunciar o próximo orador. Se o mestre-de-cerimônias for um executivo mais graduado da empresa, deve apertar a mão do palestrante, como fazem os regentes de orquestra com os solistas.

3. Havendo políticos, é necessário fazer mesa de honra e seus integrantes permanecem durante todo tempo. (Ver cap. VII. PROTOCOLO.) Numa organização de alta competência que age com segurança vale a pena citar duas ou três pessoas importantes para a empresa e que estão na primeira fila, sem integrar a mesa. Estes vips devem ser reconhecidos como tal, pelo consenso geral, para não ferir suscetibilidades. O apresentador dirá: "Gostaríamos de registrar a honrosa presença de Fulano e Beltrano de Tal a este encontro."

INFRA-ESTRUTURA AO PALESTRANTE

O profissional habituado a falar em público é bem mais precavido. Consciente da importância de pequenos detalhes para uma eficiente performance, ele verifica previamente se está tudo de acordo. O púlpito deve estar numa posição que permita ao palestrante ter visibilidade da tela de projeções. Se a sala for muito grande em proporção ao público, estabelece-se a limitação de espaços usando biombos, tudo para uma melhor comunicação. O microfone mal colocado e, pior ainda, com som ruim, pode ser corrigido, se o teste for feito com antecedência.

Os organizadores do seminário devem dispor de uma pessoa que fique sempre próxima ao palestrante e que ele conheça já no ensaio. Se cair uma pasta ou os papéis, o orador não precisa se preocupar: sabe que há alguém atento. Também o copo d'água, à hora de falar, precisa ser garantido. É preferível exigir antes a reclamar depois.

Desta infra-estrutura, faz parte o mediador e as recepcionistas, que recolherão as perguntas do público. Não precisam ser moças bonitas, mas que passem eficiência em seu visual correto. Para este procedimento, é bom distribuir bloquinhos à chegada do público, e cabe ao mediador selecionar as perguntas, redigi-las corretamente e até inventar algumas para alimentar o plenário.

Apresentação

A palavra, em linguagem social, significa estabelecer o conhecimento de quem é quem. Na linguagem acadêmica e empresarial, é a exposição de um tema ou de uma experiência de trabalho. A primeira condição para o sucesso de um orador é estar se sentindo bem fisicamente e não ter feito uma refeição completa antes e, como procedem os atores, comer *após* o espetáculo.A pessoa designada a fazer a apresentação de um palestrante deve preencher três quesitos:

✓ Pronunciar corretamente o nome completo;
✓ Informar quem ele é, dando seu currículo;
✓ Referir o assunto que será abordado.

Dizer "O palestrante de hoje, Fulano de Tal, é por demais conhecido e não precisa de apresentação" é uma bobagem e os créditos são sempre referidos, porque necessários. No mundo empresarial, valorizam-se muito os cursos acadêmicos, os prêmios e a participação em congressos no exterior. Ser diplomado em pós-graduação pela Fundação Getúlio Vargas ou pela Universidade de Cornell (USA) são títulos que ilustram um perfil profissional e devem ser citados na apresentação, conferindo maior autoridade ao palestrante.

O público é a razão da palestra

Há pessoas muito seguras do que vão falar, confiantes na sua facilidade de expressão e carisma pessoal, que fracassam não só ao proferir uma palestra como numa breve apresentação. Por quê? Prolixas, ao falar no que é óbvio para si mesmas, esquecem que não o é para os outros, perdem-se em detalhes e não conseguem transmitir o essencial. Faltou um roteiro!

Quem não possui experiência em falar em público, além de um roteiro bem elaborado, deve ensaiar, diante do espelho, com o relógio, como é feito, geralmente, na vida universitária, no preparo de apresentações de teses e trabalhos.

Herman Holtz, que presta consultoria a empresários, nos Estados Unidos, em seu livro *The Executives Guide to Winning*

Herman Holtz, que presta consultoria a empresários, nos Estados Unidos, em seu livro *The Executives Guide to Winning Presentations* (Editora John Wiley & Sons) recomenda ao palestrante que, enquanto estiver falando para o público, lembre-se de que é este a razão da apresentação, e não ele. Tudo deve ser dito de modo a agradar ao auditório, e a gratificação do ego do apresentador vem da resposta da sua platéia. Por isso, ao tratar uma palestra, quem vai falar deve informar-se muito bem a respeito da faixa etária, nível cultural e tipo de trabalho das pessoas.

Não só a abordagem dos assuntos, como também o vocabulário, serão adequados àquele público, e os termos técnicos precisam ser "traduzidos" por palavras facilmente compreensíveis. Já se foi o tempo em que falar difícil impressionava, o que interessa são os conteúdos bem transmitidos. É a melhor maneira de um palestrante usar seu charme.

Recursos visuais

A exposição de um projeto ou o treinamento de uma nova equipe de vendas é melhor assimilada com ilustrações de esquemas e gráficos em lâminas no retroprojetor, *slides* e vídeo. Donald Weiss, em seu livro *Como falar em público,* valoriza os recursos visuais bem explorados. Mas eles não substituem a exposição verbal clara, e nada mais cansativo do que a projeção interminável de gráficos acompanhada por uma monótona descrição. Na lâmina, podem constar, no máximo, dez palavras, e o palestrante parte da imagem para acrescentar informações. Não faz simplesmente uma leitura.

✓ O palestrante começa com sua proposição, para despertar o interesse do público. Só depois recorre às ilustrações, de forma alternada (retroprojetor, *slides,* vídeo, filmes ou cartazes). Ao mudar de assunto e desejar enfatizar uma premissa, apagará o projetor.

❑ Quem fala deve cuidar para não atravessar a tela iluminada e estará sempre de frente para o auditório. O ideal é se colocar ao lado dela, usando um sinalizador de pilha com a extremidade iluminada. Estes acessórios sempre dão charme. A penumbra exigida pelas projeções é mais um motivo para não exagerar no tempo da tela iluminada. Uma imagem não pode ficar mais de 10 segundos projetada. Ao terminar a descrição, é sempre desligado o aparelho e acendidas as luzes. O ideal é que estes comandos não sejam sempre verbalizados, tornando uma exposição monótona. Daí a importância de um assessor que conheça todos os sinais do apresentador. Esta sintonia faz parte do show, que exige maneiras adequadas.

O público pequeno

Ninguém gosta de um auditório vazio. Se a expectativa de um executivo, convidado a falar sobre os avanços de recursos técnicos para a indústria a alunos de uma universidade, era de 60 pessoas e apareceram dez, ele deve superar-se. Até a coincidência com outro evento importante que não foi previsto pode ser alegada pelos organizadores da reunião.

Este é um exemplo revelador do autocontrole que as boas maneiras exigem. Diante dos promotores, o melhor é ressaltar os aspectos positivos da situação que para eles é mais constrangedora. Dizer "Com menos gente se pode responder a mais perguntas" e pensar que os princípios básicos de uma boa apresentação não são proporcionais ao tamanho da platéia. Muda é a posição do grupo no ambiente, e o palestrante deve pedir que os alunos fiquem mais próximos. Ele pode sair de trás da mesa para dialogar, valorizando aquela assistência pequena mas com alto poder multiplicador de opinião. E vale a pena.

SABER FALAR

A insegurança é como a escuridão, que nos impede de saber onde estamos, e pode estar presente nas primeiras vezes que um executivo fala em público. Sabendo onde quer chegar – a meta – e como chegar – o preparo técnico – e com uma lanterna – roteiro e lembretes por escrito – o palestrante *só* enfrenta uma penumbra. Ela corresponde ao estresse natural face à responsabilidade. Toda esta tensão reverte para uma boa performance, pois biologicamente o estresse acelera a liberação de adrenalina no sangue, estimulando o cérebro.

No treinamento de um empresário que terá de falar em público, se ele tiver má dicção e não souber colocar a voz, será de grande valia recorrer a um fonoaudiólogo, profissional que está sendo cada vez mais valorizado pelo mercado de executivos e pelas pessoas que visam ao sucesso.

Há uma série de quesitos a levar em conta ao fazer uma apresentação. A abertura é a parte principal e deve oferecer à platéia a idéia geral sobre os assuntos a serem desenvolvidos, através de uma frase forte. O ponto de vista do palestrante é apresentado no meio da explanação, deixando para o final as conclusões.

TÉCNICAS & MANEIRAS

✓ O conhecimento sobre o assunto abordado é a primeira condição para o palestrante sentir segurança e impor-se ao grupo. Ele deve sempre pensar que sabe mais que o público, mas não sabe tudo. Assim, quando não tiver a resposta para uma pergunta, dirá que o assunto mereceria uma melhor avaliação.

✓ Decorar frases e períodos de uma apresentação é perigoso, pois dispersa o raciocínio para a memória, em vez de concentrá-lo naquilo que deve falar. Nomes difíceis de guardar devem ser escritos em letras grandes numa ficha, na ordem do roteiro da palestra. Assim, não é preciso baixar muito tempo os olhos e deixar de olhar a platéia.

✓ O *telepronter*, projetor de textos usado pelos locutores de televisão, é um sofisticado recurso. O palestrante baixa os olhos, de vez em quando, para o papel do texto, e vira as folhas, à medida que vai falando. Na verdade, lê mais no *teleprontrer*, invisível ao público. O ideal são dois aparelhos, um à direita e o outro à esquerda, na frente do orador que olhará nas duas direções da platéia. É um sistema que exige ensaio para o domínio do texto parecer natural.

✓ "Começando, gostaria de dizer que sou uma pessoa muito objetiva, e ajo com franqueza..." Estas antecipações são dispensáveis e o público, aos poucos, vai comprovando o estilo do palestrante. Também não é preciso alegar: "Fiz isto, fiz aquilo", porque só o fato de estar ali é uma comprovação de capacidade reconhecida.

✓ Ajuda conhecer pelo nome alguns membros da platéia, e atrai uma maior empatia falar diretamente com alguém. "Fulano conhece bem a Alemanha, viveu lá, e sabe a estratégia de negócios lá". Quanto às conversas paralelas, na sala, um bom remédio é o palestrante fazer uma pausa longa, sem olhar para as pessoas que estão perturbando.

✓ Os chatos que querem se sobressair são controláveis, até ao fazer gracejos, testando as boas maneiras do palestrante. Este deve argumentar: "Por favor, o tempo é limitado e precisamos aproveitá-lo com perguntas e comentários mais objetivos." O grupo é sempre cúmplice daquele que faz a explanação.

❑ Se alguém, na platéia, faz uma pergunta absurda, o palestrante responde, sem ironizar. A expressão facial tem uma linguagem às vezes mais forte que as palavras. E o sorriso ameniza a exposição de um assunto mais árido. Também serve para pedir desculpas por um lapso, sem verbalizar.

Agradecimento

Se as primeiras palavras são de satisfação pela oportunidade de falar àquele público e de participar do encontro, ao encerrar cabe também manifestar o agrado pela atenção dispensada. É a mesma conduta seguida ao fazer uma visita. De parte de quem convida, em nome da empresa, mesmo que o palestrante tenha recebido cachê, é um gesto de cortesia telefonar ou escrever um cartão, no dia seguinte, agradecendo sua participação em um encontro.

PROGREDIR NA VIDA

O fantasma do desemprego convive tanto com operários da indústria pesada como com os mais graduados executivos. As empresas, para reduzirem o elevado ônus das leis trabalhistas, partem para a terceirização de serviços. Numa retração mais grave de mercado chegam a fechar departamentos inteiros, diminuindo até mesmo a produção. Ser despedido, o problema financeiro que repercute na família é sempre um trauma, e o sentimento de rejeição aflige a muitos desempregados, que o encaram como humilhação.

Não adianta se lastimar e deixar que a depressão tome conta. A reação saudável é continuar saindo de casa nos horários de expediente e seguir freqüentando os mesmos ambientes para não perder os contatos. É justamente nesta fase que eles são mais importantes. Com o problema financeiro surgido, o desempregado, em vez de jantar fora, deve preferir pagar uma inscrição de almoço da Federação das Indústrias ou de um seminário na ADVB. O profissional de moda que aspira à função numa indústria vai assistir a um desfile de um lançamento de tecidos para ser visto por possíveis empregadores.

Nestes eventos, circulam os *headhunters,* caçadores de candidatos a emprego, que tanto podem pertencer ao departamento de recursos humanos de uma empresa como a um escritório de consultoria de seleção de executivos e recrutamento de pessoal. A conversa nestas ocasiões deve ser *soft,* apenas falar da disponibilidade para ser lembrado e provocar um chamado. É interessante arranjar o escritório de um amigo e dar este telefone para contatos, em horário comercial. Pode até ser um lugar para prestar serviços eventuais. Melhor do que ficar parado.

Avaliação

Ao examinar uma proposta, se a remuneração estiver abaixo da expectativa, mas houver condições de crescimento dentro da empresa, é racional confiar na própria capacidade de progredir, fazendo carreira na nova organização. Quantos avanços de ordem profissional foram desencadeados pela perda de um bom emprego.

Toda demissão provoca uma reavaliação de comportamento que conduz ao conhecimento da causa desencadeante. Foi inadaptação ao sistema? Ao tipo de liderança? À atividade em si? O convívio no local de trabalho é comparável à vida escolar em que um aluno, com mau desempenho num colégio, pode chegar a uma boa escolaridade ao ser transferido para outro.

Por isso é muito importante, ao demitir um funcionário, que lhe seja dito com franqueza os motivos, apontando-lhe os novos caminhos, quer de conduta ou de capacitação. As cartas de referências ajudam, mas é através dos seus departamentos de pessoal que as empresas efetivamente confirmam as informações.

Entrevista

O contato para novo emprego nem sempre significa que o candidato esteja disponível. Ele pode ser sondado por um *headhunter* por telefone, uma conversa curta em cima de questões básicas para detectar se sua carreira está em processo de ascensão. Algumas vezes, sua recomendação é feita por um ex-colega que mudou de empresa e pensou que talvez ele fosse ideal para o seu *staff*.

Se o profissional, neste primeiro encontro, mostrar-se ansioso e já quiser conversar no dia seguinte, não somará pontos para se valorizar. A tranqüilidade nas respostas indica ponderação e que ele está bem no seu emprego.

Quem estiver desempregado, não atropelar o processo é uma demonstração de autoconfiança. Nos dois casos, o executivo agradecerá ao telefonema, manifestando satisfação por ter sido lembrado.

VALORES PESSOAIS

A tendência dos empregadores é pensar que a parte comportamental é mais difícil de ser trabalhada que o conhecimento técnico, passado com certa facilidade. As atitudes e os valores pessoais de um executivo pesam muito em sua avaliação, por isso esta análise chega a ser feita até por mais de um entrevistador.

Busca-se uma postura que projete integralmente a pessoa em atitudes afinadas com a cultura da empresa da qual faça parte. Na área de comunicação, a capacidade de improvização tem maior peso na relação de créditos do que numa indústria de informática.

Afinados com esta mentalidade, os pesquisadores de novos executivos fazem muitas perguntas de ordem pessoal nas entrevistas. Um *headhunter* chega a convidar um candidato e sua mulher para jantarem num restaurante com a finalidade de avaliar o nível familiar e de como ele organiza sua vida. Quem vive em clima regular de tensão doméstica terá problemas no dia-a-dia de trabalho.

O modo como uma pessoa resolve seus problemas pessoais tomando decisões em situações de crise – divórcio, por exemplo – é muito revelador. Bem como suas prioridades em relação ao orçamento mensal. Se prefere numa viagem jogar em cassinos a freqüentar teatros ou fazer passeios saudáveis, já coloca à mesa do entrevistador um dado que suscitará desconfiança quanto à vulnerabilidade ao jogo.

Não adianta mentir numa entrevista mas valorizar suas qualidades, sem exageros, é sinal de um bom marketing pessoal que se refletirá nas negociações que o candidato poderá fazer em nome da empresa. Quanto maior for a responsabilidade no exercício de um cargo, maior é o número de informações exigidas, envolvendo até o proprietário de um restaurante que foi citado pelo entrevistado entre os que mais freqüenta para saber do comportamento pessoal dele em público. Tudo pode ser checado.

PREPARO

Causa muito boa impressão o entrevistado que mostra conhecimento da empresa na qual deseja ingressar (um pouco do seu histórico, nome dos diretores, prêmios conquistados, repercussão na comunidade). Não precisa forçar o assunto mas, no decorrer da conversa, fazendo algum comentário oportuno, já revela estar informado. Por tudo isso, é conveniente conversar antes com um conhecido que trabalhe lá, informando-se do comportamento exigido dos funcionários.

Formação, começo de carreira, etapas, aspirações resumem as idéias que o candidato deve ter bem memorizadas, numa síntese do que está no currículo. Sua apresentação deve ser planejada para não falar demais, mas também não ficar respondendo com monossílabos.

CURRÍCULO

Antes da entrevista, este documento já deverá estar nas mãos do entrevistador. Há empresas de consultoria especializadas em fazê-lo, mas o próprio candidato, dependendo de seu preparo – inclusive saber redigir – pode compilar os dados necessários com uma boa apresentação. Não deve ser muito longo, no máximo três páginas datilografadas em papel-ofício. Os períodos com espaço entre um e outro sempre facilitando a leitura. (Ver COMUNICAÇÃO.)

APARÊNCIA NA ENTREVISTA

Na avaliação de uma pessoa pesa muito a idéia de que o nível do cuidado que dispensa consigo mesma é igual ao que ela dispensa aos outros. A produção do visual tanto do homem como da mulher deve ser correta, roupa atualizada sem modismos, parecendo combinações realizadas ao natural, sem esmero exagerado.(Ver CÓDIGO VISUAL.)

O padrão tradicional da cor da roupa de um executivo é cinza escuro, azul-marinho ou preto. Tanto pode ser um terno como um *blazer* e calça de texturas diferentes guardando o mesmo efeito discreto. O padrão da indumentária de um executivo financeiro está mais para o azul-marinho, como os do City Bank. Por isso, um candidato que comparece a uma entrevista para emprego vestido de bege ou branco não causa boa impressão.

Se nesta primeira relação decisiva ele já aparece de bege ou de branco, quebrando parâmetros, provavelmente – pensará seu entrevistador – não seguirá também os de diferente natureza, que a empresa impõe.

Existe pesquisa feita pela Case Consultors que revela a preferência dos empregadores em função da cor da roupa do candidato, na primeira entrevista.

Cinza escuro .... 50 %
Azul-marinho .... 41 %
Bege 8,6%

Os homens de cara limpa integram-se melhor ao padrão de aparência correta e os de cabelo curto têm 99,5% das preferências. Barba e bigode? Só muito cuidados.

E as mulheres? Sua roupa tem correspondência com a do terno de homem. Isto quer dizer *tailleur* ou saia e blusa e *blazer*. Vestido em tecido liso. Já com as cores não existe o mesmo rigor. Uma saia escura com um *blazer* liso colorido ou, no verão, um *blazer* de manga curta em tecido de algodão claro, estão dentro do padrão da executiva.

Sapatos de salto muito alto, colares chamativos, penteados em desalinho, maquilagem e perfumes mais agressivos poluem a imagem da candidata.

Regras Para Causar Boa Impressão

Ao chegar

✓ Ser pontual. Apresentar-se quinze minutos antes do horário marcado para uma entrevista revela ansiedade; um atraso baixa muito a avaliação e o entrevistador mais rígido pode nem mais receber o candidato. Se este precisa transferir o encontro, deve comunicar logo. Percebendo que pode se atrasar alguns minutos, telefona avisando. O melhor, nas cidades grandes com problemas de tráfego, é sair cedo de casa, com folga no horário. Chegando adiantado, fica na porta do prédio até três minutos antes do horário. Pode parecer obsessivo, mas é uma garantia para estar tranqüilo ao entrar no escritório.

✓ Perguntar à secretária, enquanto espera: "Já se apresentaram muitas pessoas para esta função?" ou a respeito de ambiente e condições de trabalho, é sinal de ansiedade, como ficar se mexendo, levantando a toda hora. Se for dito que terá de esperar mais alguns minutos, ir ao toalete, chegar até uma janela, é perfeitamente cabível na situação.

✓ Aguardar que o entrevistador que está de pé ao recebê-lo estenda a mão para o cumprimento. O aperto de mão firme, sem machucar, revela muito de uma pessoa. Esperar também, como numa visita social, que o anfitrião indique a cadeira. É ele também que inicia a conversa, sendo importante olhar nos olhos do ou dos interlocutores. (Ver em COMUNICAÇÃO, *O poder do aperto de mão* e *A estratégia do olhar*.)

Postura

✓ Ao sentar, não colocará a pasta ou a bolsa em cima da mesa, mas sobre as pernas ou na própria poltrona. Para sentir-se mais confortável e manter uma boa postura, sem parecer tenso, ajuda muito apoiar os braços aos da cadeira. É uma forma de não ficar ajeitando o cabelo a toda hora, mexer na gravata ou puxar os dedos. Ficar de braços cruzados muito tempo dá impressão da pessoa estar fechada em si mesma.

✓ Nos escritórios mais amplos, as entrevistas costumam ser realizadas num recanto com poltronas de ambiente de sala de visitas. A mulher que cruza as pernas, sentada na poltrona, saia curta, expondo-se demais, foge ao padrão discreto, adequado à circunstância.

Como falar

✓ O candidato de entrevista pronta, isto é, que decora as respostas de livros especializados, vai se dar mal com um entrevistador de alto nível que também leu este tipo de livro.

✓ Expressar-se com clareza, num tom de voz médio, sem gritar ou falar baixinho, faz parte do modelo do executivo. O jovem deve evitar a gíria que mascara as coisas sérias sendo ditas e a possibilidade de uma avaliação segura da sua maturidade profissional. Há *headhunters* que fazem anotações durante a conversa para detectar alguma contradição do candidato. Mais um motivo para não ser prolixo.

✓ Jamais falar mal de ex-empregadores .Desejando mudar de emprego, ao dizer a causa, ressaltar o desejo de progredir e não os fatores negativos de seu atual trabalho. "Gosto de trabalhar lá, mas preferiria viajar menos..." é uma justificativa ponderada.

Maneiras

✓ Mesmo que o entrevistador fume, o candidato não o imitará. Perguntar "Posso fumar?" está fora de cogitação e a tendência natural é do fumante até perder pontos numa avaliação em que são incluídas condições de saúde.

✓ O cafezinho é comum nos escritórios. Pode ser aceito ou não, mesmo que o anfitrião esteja com sua xícara. Um entrevistado pedir repetição é sinal de ansiedade. A maneira de tomar cafezinho, a correção em deixar a colher no pires e não dentro da xícara já revela o grau de educação. Pedir um copo de água, principalmente em dias quentes, é um comportamento normal em entrevistas deste tipo.

Final

✓ Ao terminar, o entrevistador levanta-se. Dirá que, após a avaliação, o candidato poderá ser chamado para novo contato. Há entrevistadores que não dizem nada, o que não deve ser encarado como mau sinal. É o momento de o candidato entregar seu cartão, deixando ao entrevistador, de novo, a iniciativa de estender a mão.

✓ Em entrevistas muito cordiais, entre pessoas que já se conhecem, pode haver até um clima menos formal. É a sensibilidade do candidato que está sendo posta em cheque numa hora destas e, ao ser conduzido pelo entrevistador até a porta do escritório, ele sempre agradecerá.

✓ É recomendável enviar um cartão de agradecimento ao *headhunter*, dois ou três dias após o encontro. "Agradeço a forma cordial como fui recebido..." é a mensagem, sem que a redação expresse ansiedade ou pressão, como: "Espero, em breve, poder integrar o *staff* de sua empresa."

✓ O retorno de contato para uma nova entrevista ou a comunicação de admissão é sempre iniciativa da empresa, através de telefonema ou comunicação por escrito. Quando há muita demora (às vezes a resposta tarda dois meses) é aceitável que um candidato telefone à secretária do executivo que o entrevistou ou envie um cartão.

SALÁRIO

Geralmente, as vagas para executivos são anunciadas em jornal, incluindo currículo e, também, pretensão salarial. Quando esta não é pedida, quem aborda a questão é o entrevistador, porque a ele cumpre desenvolver o processo de acordo com a política da empresa. Para cargos de maior responsabilidade, quando várias entrevistas são feitas, às vezes só na última podem ser mencionadas as condições salariais. (Ver em COMUNICAÇÃO, pág. 54)

Código Visual

Vestir-se seria um ato totalmente livre não fossem as limitações econômicas e as influências culturais, das quais a moda é muito importante. Esta, no entanto, perdeu o radicalismo e o novo milênio lhe confere uma gramática sem regras rígidas, em que o denominador comum é o equilíbrio fortalecido pelo estilo pessoal. A moda é efêmera, passa, os estilos permanecem e haverá sempre pessoas, clássicas, *sexy*, românticas e vanguardistas selecionando o guarda-roupa de acordo com seu perfil psicológico.

Uma das formas mais fortes da comunicação não-verbal é a aparência. Valoriza-se muito o visual, mas ele não é dominante na escala de valores e a experiência registra indivíduos bem apessoados que fracassam em seus projetos. Inegável, no entanto, é que uma boa aparência, aliada à capacidade profissional, ajuda a conquistar o sucesso.

Existem rótulos de como se vestir para mostrar aquilo que se é. É o caso do estilo executivo. "Sou um competente gerente financeiro, desejo ser bem-sucedido e os outros esperam que eu vista terno e gravata." Já um publicitário enfatizará criatividade, ousadia e maior descontração.

O professor Celso Lafer conta na biografia que escreveu da filósofa alemã Hannah Arendt, sua mestra na Universidade de Cornell (USA), um episódio que fundamenta a importância do código visual. Ela ponderou que a barba mal cuidada do jovem brasileiro não contribuía para sua estética e Lafer aparou-a logo, compreendendo, no rigor filosófico pregado por Arendt, que ser e aparência coincidem. Num sentido mais pragmático, pode-se concluir que uma pessoa se comunica e é avaliada pelo que ela faz, sua aparência, o que ela diz e como diz.

Estilo & Roupa

Traçando um perfil do executivo brasileiro no vestir, o jornalista Fernando de Barros diz que este já se encontrou em vários caminhos, sofrendo influência do inglês, do italiano e, bem mais forte, do americano. Mas acabou se definindo por um estilo mais alegre, na cor das gravatas e na própria combinação dos padrões de uma cartela de texturas e cores do modelo *business man.*

Em teatro, usa-se a expressão "*phisique de rôle*"(físico para o papel) para um ator de físico ideal a determinado personagem. Isto não significa sempre ser bonito e bem proporcionado. Basta ver, no cinema, quantos astros de sucesso têm físico de anti-herói. No cenário dos executivos acontece a mesma coisa e é o talento, a competência e o brilho intelectual que se sobressaem. Já o desleixo não ajuda, mas pensar que só os bem apessoados são promovidos em suas carreiras é um equívoco.

Nos treinamentos dados a executivos, os consultores mostram que o tipo de vestimenta não tem uma relação direta com o sucesso, salientando porém um mínimo de bom senso. Usar gravata não significa trabalhar melhor, mas um advogado não irá ao fórum sem ela, o que seria um comportamento inadequado. Existem fatores pessoais que são determinantes no modo de vestir, mas o executivo ao assumir seu papel na vida profissional precisa dosá-los.

No comportamento, no entanto, há valores culturais mais elevados até que a aparência. Pode causar pior impressão um executivo manusear errado os talheres do que estar mal vestido para a ocasião. Busca-se, porém, um perfil com estes sinais relacionados numa fórmula de bom senso que propicie o sucesso.

A Conquista da Boa Aparência

Habituados à descontração dos trajes rotineiros – camiseta, jeans e tênis – é difícil para os jovens recém saídos da universidade chegarem logo ao visual impecável do executivo padrão. Diante desta insegurança, especialmente ao preparar-se para uma entrevista de emprego, uma boa sugestão é a de olharem-se no espelho, de corpo inteiro, e responder a este questionário.

✓ Meu jeito de vestir está de acordo com a empresa na qual desejo ingressar?

✓ É adequado ao meu tipo físico?

✓ Pareço correto e limpo?

✓ A roupa e os complementos estão de acordo com a estação?

✓ Meu traje é de qualidade, nos materiais, corte e acabamento?

Esta última pergunta não significa só *blazers* de grife, confecções caras. Roupas no mesmo gênero executivo podem ser encontradas nas lojas de departamento: bom corte e tecidos de qualidade, o preço acessível a diferentes camadas de consumidores. O condicionamento econômico não impede a um executivo vestir-se discretamente e bem.

Usam-se as mesmas roupas para trabalhar no escritório e visitar os clientes, daí a necessidade de jogar com as peças. O homem que estava de jaqueta, a substitui por um *blazer* ao comparecer a um coquetel de fim de tarde, e a mulher substitui o mocassim baixo por um sapato escarpin de salto, troca a bolsa grande por uma bolsinha, e coloca uma echarpe iluminando o suéter de malha liso. (É como fazem as executivas de Nova Iorque.) Uma das receitas de vestir-se bem é observar nos jornais e revistas fotos de profissionais em evidência, nas diferentes áreas de atuação. Sem copiá-los, desenvolve-se o gosto e o senso de afinar o traje com o ambiente e a ocasião.

Estratégia de Compras

O guarda-roupa padrão executivo – isto vale principalmente para as mulheres – evita modismos, exceto em pequenos detalhes mais atuais, como brincos em grande moda, compatíveis com o *look* executiva. Ela conquista o equilíbrio sendo *fashionable* no trabalho com limites. Nem séria demais, nem frívola. Sem ser escrava tanto da moda como da profissão.

Com o avanço da tecnologia, os tecidos se tornaram mais duráveis, de melhor caimento e uma grande maioria não amarrota. Sedas puras exigem cuidados especiais, por isso as sintéticas são mais práticas.

A roupa para o trabalho não deve chamar mais atenção que a pessoa. Para mulher, os estilos de Yammamoto, Kenzo e Christian Lacroix, nos anos 90, ficam fora da rotina do escritório, onde Giorgio Armani, Calvin Klein, Donna Karan e a maioria dos americanos encontram o cenário perfeito. São eles que mais inspiram as confecções no mundo inteiro dirigidas ao público executivo, enfatizando conforto e qualidade na elegância do *business look* masculino e feminino. Algumas empresas exigem de seus executivos um visual *fashion*, acrescentando ao ordenado deles um percentual para representação.

Quem começa a trabalhar não ganha para extravagâncias, precisa seguir critérios muito práticos: organizar o guarda-roupa de qualidade, poucas peças coordenáveis entre si. Dois ternos cinzas com colete, um liso e outro em padrão príncipe-de-gales, geram combinações múltiplas, inclusive com o *blazer* marinho. É melhor ter uma camisa bem estruturada, tecido durável numa cor prática, do que duas mal acabadas e de estampa do tipo "cheguei", que chamam demasiada atenção e logo enjoam.

Guarda Roupa Básico

Homem

1 terno cinza com colete
1 calça mescla, *pied-de-poule*, listrada discreta, cinza
1 calça bege
1 *blazer* marinho com botões metálicos
1 *trench coat* (impermeável) preto ou cáqui

6 a 8 camisas: 3 brancas, listradas em tons pastel, 1 de punho duplo para abotoadura
Gravatas estampadas, tons relacionados com paletós e camisas
1 pulôver cinza
3 pares de sapatos: 1 preto, 1 mocassim preto, 1 castanho escuro
Meias no tom dos sapatos e das calças
Pasta e leva-tudo.

Mulher

1 *tailleur* preto ou marinho (liso ou fantasia)
l calça preta ou fazendo conjunto com o *tailleur* (terninho)
1 saia cinza
1 *blazer* liso de cor
1 *trenchcoat* (impermeável) preto ou cáqui: chuva/frio/vento
3 blusas e 3 camisetas lisas.
Bijuterias e echarpes. Pasta e bolsa pequena de alça removível
3 pares de sapatos (2 pretos e 1 de tom neutro)
Meias (preta, grafite, cor da pele)
1 conjunto de malha: saia e cardigã

A Escolha das Cores

O estilo executivo é restrito no que se refere às cores das roupas. Sabe-se que o marrom foge ao padrão mais tradicional dos paletós para um primeiro contato. É mais usado pelos homens que já se afirmaram profissionalmente. Se o marinho ou o preto nos *blazers* podem não favorecer o tom da pele, existe o recurso das blusas e echarpes e, para os homens, camisas claras e gravatas nas cores que melhor assentam. Nas mulheres, a maquilagem ajuda a evitar um visual sombrio.

Existem consultores para cores, mas, através da observação, pode-se conquistar um padrão ideal de acordo com as características físicas. Não é uma coincidência se alguém é muitas vezes elogiado pelos amigos quando está com uma gravata em tons de amarelo ou um *blazer* vermelho. É um sinal evidente que estas cores lhes são favoráveis. Uma pessoa muito pálida, de cinza, parece um tanto soturna. Com este terno, se em vez da camisa branca usar uma rosada com gravata em tons repetindo o cinza com cores mais abertas, o efeito será melhor.

Um modo fácil de analisar um tom de pele e as cores propícias é deixar a luz natural entrar no quarto, e olhar-se no espelho testando peças coloridas junto ao rosto.

O vermelho é a única cor viva considerada clássica. Uma executiva usará muito bem um *blazer* vermelho, já o verde limão ou um azul pistache são chocantes, dependendo da atividade e ambiente. Para os homens, o vermelho está nas malhas e, principalmente, nas gravatas como uma cor alegre e tradicional.

A conjugação de cores, claro e escuro, contribui para deixar uma silhueta mais longilínea. Por isso, recomenda-se a homens de menos de 1m70 de altura não usarem calças mais claras que os paletós, pois parecerão mais baixos. O tom sobre tom, para eles e para elas, é recomendável na produção de um traje com duas peças para que se sintam bem vestidos.

Maior Poder = Maior Individualidade

Para galgar posições de liderança, quando a mulher entrou nos escritórios assumiu um visual masculino, usando terninho, pois competência e poder eram atributos do homem. Ela se despiu da feminilidade e adotou o *tailleur* austero, camisas brancas, sapatos de salto baixo. Este uniforme, nos anos 80, foi liberado e as bem-sucedidas passaram a adotar seu estilo pessoal, cores preferidas, brincos de pérola mais vistosos. O *look* Chanel teve seu auge não só pelos casaquinhos e *spencers* mais leves com debrum e botões dourados, o laçarote na blusa, como pelo mito de liberdade que a estilista representa.

O fato de as mulheres bem moças chegarem às chefias influiu à maior descontração do traje de trabalho, e as mais velhas acabaram igualando-se no visual, também seguindo a maior jovialidade da própria moda. A uma mulher bem-sucedida, reconhecida como tal, não se aplicam as regras básicas do figurino da executiva, ainda que a tendência seja para o clássico, roupas mais lisas, arrumando-se sem exageros.

Os estilos diferem. Há empresárias que gostam de brincos mais vistosos e cores exuberantes. Este *look* tão pessoal e confiante pode contribuir para negócios bem-sucedidos. Uma executiva que atua no setor hoteleiro, mulher de cinqüenta anos, teve esta experiência com um de seus interlocutores, na Argentina. Ele telefonou para o escritório dela, dois dias depois do encontro, em Buenos Aires.: "Eu fiquei lembrando da senhora, falando muito persuasiva, gesticulando com as mãos cheias de anéis e pulseiras, e acabei me convencendo a realizar a convenção em seu hotel."

As mulheres poderosas estimulam aquelas que começam uma carreira. São modelos, até nos detalhes, mas é preciso chegar a um patamar mais elevado para poder ousar como elas. Um episódio ocorrido com a vice-presidente de uma empresa de relações-públicas, no Brasil, ilustra bem a situação. Ela recebeu, de *robe-de-chambre* de cetim importado, a secretária que lhe foi levar uns documentos. Ao se despedir, a moça comentou: "Vou trabalhar bastante como a senhora para um dia também poder estar assim, em casa."

Em verdade, à medida que a mulher não mais é exceção num escritório de homens, em que todos trabalham por um objetivo comum, os fatores pessoais, incluindo o modo de vestir, passam a um segundo plano. Ser desleixado, no entanto, não contribui para conquistar mais respeito.

O Fator Psicológico

Arrumar-se para trabalhar é condicionar-se ao cumprimento da agenda profissional. Quem trabalha em casa, na sua *workstation*, prestando consultorias, fazendo *design*, escrevendo, diz que não consegue fazer o trabalho se não estiver arrumado, pronto a receber qualquer pessoa. Pode estar de abrigo, mas correto. Há mulheres que se vestem com cuidado, como se estivessem num escritório.

Em muitas empresas, trabalha-se sem gravata, de *jeans*, na maior descontração, mas visitar um cliente nestes trajes não é próprio. O profissional constrangido distrai-se durante a conversa porque tem consciência de não estar vestido de acordo. Por isso, é sempre conveniente guardar um *blazer*, camisa e gravata num armário do escritório ou na mala do automóvel.

❑ O *look* executivo é quase sem modismos. Tem qualidade, corte, conforto, golas impecáveis, versatilidade. Atualização: gravatas, bijuterias, óculos e relógios.

PARA COMPRAR BEM

A jornalista norte-americana Pamela Redmond Satran escreveu um livro dando orientação às mulheres profissionais de como se vestir. Chama-se *Dressing Smart* e a autora faz uma comparação original: "Olhar para as roupas só como moda é como fazer sexo apenas fisicamente." Ela se refere à falta de empatia com um vestido que nada tem a ver com a mulher e seu tipo de vida, daí surgindo as más escolhas.

Ao comprar roupas e complementos, em função do patamar econômico e do estilo pessoal e atividade, vale a pena que homens e mulheres sigam alguns critérios.

✓ Preferir o horário de almoço às horas e aos dias de maior movimento, evitando o final de expediente quando os vendedores ficam de olho no relógio.

✓ Prestar atenção ao selo de qualidade nas confecções, informando sobre a composição dos materiais e o modo de conservar. Há tecidos que não resistem à máquina de lavar; outros, ao ferro. As malhas são mais sensíveis ainda.

✓ Não se entusiasmar com a peça que outra pessoa está comprando, se não for necessária ao próprio guarda-roupa.

✓ Cuidado com o primeiro impulso e as liquidações! Não adianta comprar um *blazer* barato se a cor não combinar com calças já existentes, mas vale a pena uma peça clássica para usar por muitas estações.

✓ Duas vezes ao ano, revisar o guarda-roupa, anotando o que está faltando. Executivos muito ocupados preferem fazer estas compras essenciais reservando um dia inteiro, no início de cada estação.

✓ Ao comprar roupa, convém estar seguro de si mesmo. A mulher, penteada e maquiada, e o homem, barbeado, favorecidos diante do espelho.

✓ Ela preferirá saia e blusa, sem muitos botões, mais fácil para fazer as provas, não tendo que tirar toda a roupa. É indispensável uma meia-*colant* e sapatos de salto. Ele com um bom calçado, meias e *underwear* de qualidade.

✓ É o sapato que define uma pessoa. Pode estar muito bem vestida, mas se o calçado estiver velho, salto gasto, sem graxa, o vendedor da loja não terá a mesma consideração. Uma roupa discreta pode ser promovida pelos pés bem calçados com modelos de solado em couro.

✓ Dias de grande depressão não são propícios ao *shopping*. Se no momento compensa, no dia seguinte constatam-se os equívocos.

Visual da Executiva

O modo como os executivos homens se vestem numa empresa é um parâmetro para as mulheres. Terno e gravata corresponde a *tailleur* ou saia e blusa. Assumir o visual correto de executiva por uma semana não é difícil, manter uma média exige certo treinamento, a começar pela organização do roupeiro. As mulheres muito ocupadas penduram as roupas, alinhando-as pelas cores e os trajes prontos para usar. Importante é, antes de deitar, deixar escolhido o que vai vestir no dia seguinte, e a bolsa arrumada. Caso chova ou esfrie um *trench coat* ou uma malha resolverão.

É muito importante que uma líder ande bem arrumada, ela é um modelo que estimula suas assessoras. (Isto vale para os homens também.) Mas se uma gerente usa freqüentemente uma combinação especial, como marinho e rosa ou marinho e verde, as companheiras vão respeitar este gosto pessoal, sem imitá-la. Há uma regra comum às executivas que são convidadas para uma festa empresarial: a de não se enfeitarem demais, como se fossem a um evento exclusivamente social. É hora do *tailleur* ou do vestido liso e das jóias de ouro e bijuterias.

O Básico do Visual de Trabalho

✓ No verão, evitar vestidos sem alça ou muito decotados. Dependendo da cidade e do clima, se estas roupas são aceitas em escritório, a executiva deve ter um bolero ou um *blazer* que vestirá ao dirigir-se à sala do diretor ou receber um cliente.

✓ Meias fazem parte da aparência correta, em todas as horas do expediente, no tom da pele ou combinando com a saia ou sapato.

✓ Bolsas são reveladoras. A executiva precisa de conforto e sua bolsa é grande, com zíperes internos e uma bolsinha menor dentro. Deve ter qualidade. Há mulheres que usam a bolsa grande para o material de trabalho e uma pequena, a tiracolo, com o dinheiro, a maquilagem e a caneta. Quem necessita de óculos não compra pochetes: em geral, além do que está em uso, há outro dentro da bolsa..

As saias

A opção certa é aliar o estilo ao conforto. A saia para trabalhar é a que permite movimentar-se e sentar sem preocupações, nem muito curta, nem muito longa e o melhor teste é feito ao entrar e sair do automóvel. Por isso, as saias mais práticas têm pregas e machos. A jovem que opta pela minissaia estará de meias mais encorpadas, mas em certas empresas este tipo de roupa é incompatível.

A postura muito contribui para bem vestir uma saia. Elegância é também saber sentar-se de acordo com o ambiente. Diante de um diretor ou de um cliente, a maneira mais elegante é manter os joelhos unidos, uma perna avançando à frente, a de trás com o pé apoiado apenas na ponta.

❑ O equilíbrio da silhueta é fundamental para a elegância. O comprimento de saias pede salto de sapato em proporção a ele. Minissaia se harmoniza com sapatos de salto de 3 a 6cm. Saia pouco acima ou abaixo do joelho vai bem com salto alto. À altura da canela harmoniza-se com os sapatos de salto raso até 4cm. Calça comprida pede salto baixo.

VISUAL DO HOMEM

O empresário Bernard Lanvin, herdeiro do grupo Lanvin, é considerado um dos mais elegantes da Europa e em seu livro *Le guide de l'élégance au masculin* (O guia de elegância no masculino) refere-se a ela como "um novo clássico que vai além da aparência, sendo uma manifestação de boas maneiras". Elegância é sinônimo de seleção (a origem da palavra é latina, *eligere*). Lanvin, um empresário moderno, esportista também, acentua a desenvoltura que o homem deve ter em suas escolhas. Para não parecer muito arrumado, ele deve ter uma certa descontração. Há quem já nasça elegante, mas a maioria conseguiu isto através da observação.

No *look* executivo – terno e gravata – pode haver diferentes estilos, com maior ou menor intenção. Uns são mais empolados, preferem camisa branca e gravata mais séria; outros, menos convencionais, gostam de camisas azuis, gravatas de florzinhas e desenhos exóticos.

A idade condiciona. Um rapaz que está entrando na universidade e já acompanha o pai aos ministérios, em Brasília, não se vestirá no mesmo estilo daquele. Procurará estar menos formal. Usa gravata também, mas dentro de um *look college*, *blazer* azul-marinho, botões dourados, gosta dos paletós desestruturados. Em alguns momentos, preferirá a camiseta branca com o *blazer* e calça jeans com um bom calçado mocassim preto ou vinho.

O *blazer* é o coringa do guarda-roupa. Sua origem? Em 1837, quando a rainha Victoria, durante as festas de sua coroação, passou em revista algumas tripulações de navios, no Blazer, seus oficiais estavam uniformizados de azul-marinho, paletó transpassado com botões de couro. Eles ficaram famosos pela elegância e o casaco entrou na moda londrina, com o nome do navio. A partir de 1920, as mulheres também adotaram o *blazer*, com saia, blusa branca e gravata.

Usado pelos iatistas ingleses, ele foi incorporado ao terno social graças a Pierre Cardin, quando lançou sua primeira coleção de *prêt-à-porter* masculino. O *blazer* pode ser assumido pelo homem correto, do café da manhã até ao jantar, com a namorada, num restaurante de categoria.

Para o Homem Bem vestido

É na camisa e na gravata, sobretudo nesta, que o homem pode mostrar melhor sua personalidade. Vestindo ternos de muitos anos, ele renova-os com uma moderna combinação de camisa e gravata. Esta deve atingir a fivela do cinto.

✓ O comprimento da calça deve cobrir o peito do pé e não ficar sobrando atrás, poindo a bainha em contato com o chão. É imperdoável um homem andar com o vinco da calça amassado.

✓ Camisas folgadas nas cavas dão maior conforto e o punho deve ficar dois dedos além da manga do paletó. O estilo *botton-down* de colarinho (as pontas abotoadas na camisa) não é para um terno de festa. Os de pé alto, só para homens de pescoço comprido.

✓ A cor entrou na camisa e as estampas clássicas miúdas também, incluindo o xadrezinho de Ralph Lauren. O monograma bordado é um requinte, próprio do perfil de um homem bem- sucedido. É do lado esquerdo, no lugar do bolso (mesmo se este não existir) ou mais abaixo, um palmo acima do cinto.

✓ Modismos nos acessórios são cabíveis: suspensórios e abotoaduras projetam o estilo de um homem. Meia branca só para a hora do esporte ou para aqueles que usam calça e sapato brancos.

✓ Há duas combinações sem erro para o *blazer* marinho ou preto: calça cinza (mais senhoril) ou bege (menos comportada). Tecidos de trama vistosa – *tweeds*, príncipe-de-gales – corretos para o traje urbano, o homem harmoniza num conjunto em que o *blazer* é diferente da calça, a partir da combinação de um ou dois tons.

Gravata Dá Prestígio

Antigamente, quando o homem se vestia com mais luxo e detalhes que as mulheres, as gravatas eram parte deste conjunto. À medida que o traje masculino foi sendo simplificado, acabando no sóbrio terno, camisa e gravata, esta passou a ser um diferencial expressivo, sinal de status. O Dr. Lair Ribeiro, em suas palestras para executivos, cita uma pesquisa no metrô de Nova Iorque com estudantes que pediam 25 cents para completar o custo da passagem de 70 cents. Durante uma hora, sem gravata, eles conseguiram recolher seis dólares. No mesmo espaço de tempo e horário, com gravata, chegaram a tirar 18 dólares.

Os costumes são dinâmicos e a gravata pode perder sua força. Por enquanto, vale a pena usá-la nas ocasiões certas.

Há quatro tipos de nó de gravata. O laço borboleta, consagrado pelo duque de Windsor e por Fred Aistaire, adotado por homens confiantes que manifestam alegria, pode ser adquirido pronto. Por isso são preferidos por alguns que não querem perder tempo dando o nó na gravata.

O tope tradicional, para os colarinhos mais altos, é o Windsor. O mais usado pelos executivos é o semi-Windsor, que exige uma passagem a menos da tira da gravata. O *four-in-hand* (quatro na mão) é mais alongado. Foi inventado pelos condutores de carruagens, no século XIX, na Inglaterra, que davam este nó para evitar que a gravata voasse ao vento. Eram carruagens de quatro cavalos e daí surgiu o nome do nó, que é também o de um refinado clube londrino.

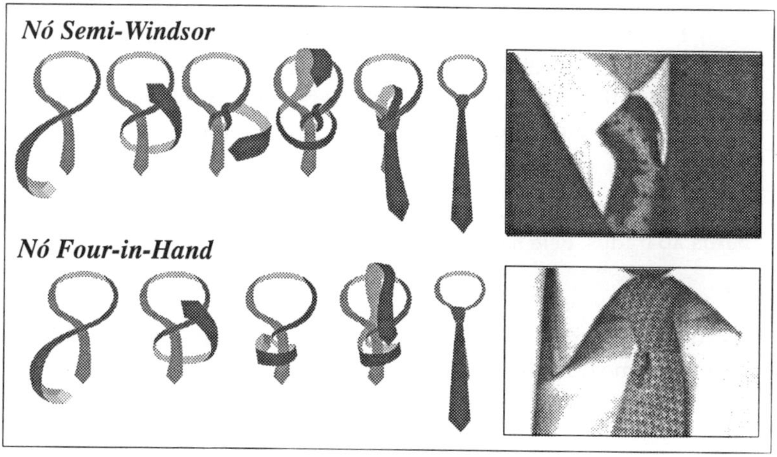

A Roupa Tem Vida

Se as roupas e os sapatos forem maltratados, acabam mais cedo. Assim como o ser humano, precisam de remédios para sua sobrevivência, de acordo com o organismo (materiais). Usar a mesma roupa e o mesmo sapato todo dia, encurtam sua vida. É muito importante obedecer às instruções da etiqueta de composição do tecido (100% lã, algodão, poliéster, seda mista, etc.). Usar a mesma roupa e o mesmo calçado seguidamente abrevia a vida deles e um dos motivos são as constantes lavagens e o ferro de passar: desgastam o tecido. Não é contrasenso, portanto, ter duas ou três calças ou saias da mesma cor.

Ao retirar o *blazer*, ele deve ser pendurado, ficando por algumas horas arejando. No roupeiro, fica envolto em plástico, mas casacos de pele e couro natural são protegidos por capas de tecido de algodão para respirar. As calças dobram-se de acordo com o vinco para não precisar passar. A melhor maneira de pendurar saias pregueadas ou lisas é usar os cabides com pinças, deixando-as retas, sem dobras.

O sapato tem suas exigências para viver mais e melhor. A graxa o conserva por bastante tempo, mas ao guardá-lo deve-se rechear com papel amassado ou usar uma forma. Só assim não deformará.

Cuidados de Beleza

É cada vez maior o número de marcas de cosméticos que estão lançando cremes faciais para homem. Assim como a mulher faz limpeza de pele, ele começa a ter o mesmo cuidado. Muitos destes lembretes envolvem higiene pessoal e são unissex.

Ele	Ela
Bem barbeado ou com bigode e barba aparados. Pele não-oleosa.	Pele hidratada, sem oleosidade, maquilagem suave e batom sempre.
Loção após barba com aroma seco, o mesmo do desodorante.	Perfume floral suave que não permaneça quando ela sair da sala. Desodorante sempre.

Até por questão de saúde, verrugas e sinais devem ser eliminados.

A peruca deve ser discreta e é preferível uma careca digna a um aplique ridículo. O mesmo ocorre com as tinturas: cabelo preto pintado é sempre perigoso.	O penteado faz parte de um estilo. Muda-se o corte, mas a cor deve ser alterada gradativamente para não confundir os clientes.
Mãos bem cuidadas, unhas impecáveis são um sinal importante na avaliação. Os cremes hidratantes propiciam um aperto de mão agradável, sem asperezas na pele.	Unhas arredondadas, não muito longas (dependendo do tipo de trabalho). Esmalte, de preferência rosado ou incolor. Imperdoável: esmalte lascado.

Necessaire de Escritório

Numa bolsinha plástica, podem ser guardados utensílios de emergência para tratar do visual no escritório. Muitas vezes, são as secretárias que guardam o *necessaire.*

Materiais unissex: escova e pasta dental – escova e pente – desodorante – pano, escova e graxa para sapato – lixa e cortador de unhas – minicostureiro com linhas das cores das roupas.

Exclusivo dele: aparelho de barba, *aftershave.*

Exclusivo dela: laquê em *spray*, produtos de maquilagem, perfume, meia clara e escura.

Mais Status

✓ Nos óculos, escolhidos de acordo com o tipo de rosto, mais que a grife estrangeira famosa, o que desperta atenção é o seu *design.* Em vez de tentar esconder que precisam de óculos, um homem ou uma mulher se afirmam com modelos que chamam atenção, marcando sua personalidade. Os óculos são um elemento a mais de modernidade e os de lentes escuras (não são usados em ambientes fechados) podem rejuvenescer mulheres mais veas com suas armações vistosas de moda.

✓ Relógios de pulso significam status e também um complemento de moda. Um executivo ter um modelo de marca famosa, reconhecido pelos anúncios nas revistas, impressiona bem, desde que não se preocupe em mostrá-lo, levantando o punho da camisa. Há uma regra de bom tom que veta aos homens usarem relógio de pulso com *smoking.* Qual a razão? Uma festa de gala pressupõe-se ser um momento de lazer, sem preocupação com horário.

A Roupa e a Ocasião

O convite é o ponto de referência para o traje apropriado a um evento social-empresarial e várias expressões são usadas para defini-lo. Usa-se menos a prescrição de traje nos convites em caráter profissional do que no exclusivamente social. Para os homens, sempre que houver dúvida, é usar gravata. Para as mulheres, é o vestido liso com um *blazer* (estação fria) com sapato escarpin e carteira, pérolas e correntes douradas, maquiagem e cabelo impecáveis que salvam qualquer situação. A executiva, para um almoço ao qual sem envolvimento profissional compareceria de calça comprida (*tailleur*-pantalona), estará de saia. O comprometimento com a moda é bem menor, mas ela se vestirá de acordo a todos os compromissos sociais, porque a vida pessoal e a profissional estão interligadas (o casamento da filha de um grande empresário é um encontro de pessoas influentes no mundo político e econômico).

A nomenclatura para definir o tipo de traje é muito variada no Brasil, país com regiões diferenciadas culturalmente, e sua leitura insegura é consequência disto. Passeio completo e *tenue de ville* são sinônimos na prática. Passeio escuro é o traje solicitado para os homens em convites de cerimônias, atos oficiais, independente do horário: terno completo liso ou mescla escuro, camisa branca e gravata. Na dúvida quanto à cor da roupa, a escolha deve ser sempre para o tecido escuro.

Visual nas Apresentações

É sempre mais difícil para a mulher compor seu visual ao fazer uma palestra do que para o homem, pois tem maior escolha, até pelo uso da jóia e da bijuteria, na produção de seu traje. Em síntese, ela usa a mesma roupa com que vai encontrar um cliente importante e dependerá também do público a produção de sua aparência. Se na platéia houver muitas mulheres, a palestrante cuidará mais dos detalhes e uma bijuteria, pode mostrar como é atualizada. Só não optará por pulseiras que fazem barulho ao movimentar a mão ou brincos muito chamativos. Em vez de ouvirem o que está dizendo, os espectadores ficam distraídos com tantos estímulos visuais.

A empresária que será entrevistadada na televisão terá um critério todo especial ao se produzir, porque detalhes que passam desapercebidos ao vivo são ampliados com a verdadeira lente de aumento que é a câmera. Um homem, ao fazer uma palestra e enfrentar a tevê, deverá ter o cuidado de passar, pelo menos, um pó compacto no rosto.

TRAJE	EXECUTIVO	EXECUTIVA
ESPORTE (reuniões ao ar livre, refeitório de fábrica, churrascos)	Camisa sem gravata, jaquetas, malhas e moletons, *top sider,* mocassim (tênis só quando houver prática de um esporte)	Saia e blusa, calça comprida (esta não é própria a cerimônias oficiais como inaugurações de praças), sandálias mais fechadas (no verão) e sapatos de salto baixo.
ESPORTE COMPLETO (café da manhã e almoços em ambientes descontraídos)	*Blazer,* camisa de cor ou camiseta lisa, gravata opcional para os mais jovens (tecido fosco), sapato mocassim.	*Tailleur,* saia e *blazer* em cores diferentes, vestido tipo *chemisier,* saia e blusa, sapato mocassim. A bolsa, em expediente comercial, pode ser a usual.
PASSEIO - *Tenue de Ville* (Coquetéis de lançamentos de produto, jantares, sessões não-solenes nas câmaras de vereadores, deputados e senado)	Calça em tecido diferente ao do *blazer,* terno príncipe-de-gales, *pied-de-poule.* Camisa branca ou de cor suave (listrada também). Gravata sempre. Sapatos escuros.	*Tailleur, blazer,* vestido, sapato escarpin liso e bolsa pequena.
ALTO ESPORTE (atos inaugurais mais solenes à tarde e à noite)	Terno completo liso ou calça mescla e paletó escuro, camisa branca e gravata mais refinada.	É o mesmo de *tenue de ville,* mas pode incluir chapéu em casamentos matinais e luvas de pelica lisa.
RECEPÇÃO (festas à noite)	Terno escuro, gravata discreta, em tecido nobre (seda pura). Sapatos e meias pretas, usados para casamentos, de manhã à noite.	Vestidos ou duas peças, tecidos nobres (crepes, tafetá, brocado, musselina, renda, jérseis). Sapato e carteira em couros metalizados, camurça ou tecido.
BLACK-TIE (jantares e festas mais sofisticados)	*Smoking*	Vestido curto recepção; saia longa e blusa; pantalonas em tecidos nobres; vestido no comprimento de traje de gala (cobrindo o pé), sem pedrarias.

A base será no tom da pele, para que a diferença não fique marcada no pescoço. Olhos muito sombreados, delineador forte, sobrancelhas e batom escuros endurecem as feições de uma mulher. E mais, uma executiva não é atriz e mantém a aparência correta sem se enfeitar muito para não parecer deslumbrada. Brincos e colares que poluem o vídeo não são apropriados para a televisão.

Nas cores, evitam-se sempre o preto e o branco total que saturam facilmente a imagem no vídeo com a iluminação. Cores muito fortes, como o vermelho total, também cansam e a preferência deve recair sobre os tons mais suaves e o pastel. Estamparias vistosas que embaralham a visão dos telespectadores não entram na roupa de quem vai aparecer. Echarpes e laçarotes são pouco favorecedores. Muito melhor é usar roupas lisas, um broche de *design*, jóias em ouro e prata. Cetins (isto se estende às gravatas masculinas) não são recomendados, por causa da iluminação.

Quando uma gravação é feita num cenário real – o escritório ou o estande numa feira – os empresários terão ainda maior cuidado. É sua imagem que precisa sobressair em meio aos produtos e isto se aplica não só para televisão e fotografias como na presença dos clientes. A descontração de uma feira não justifica um executivo estar mal arrumado diante da câmera, sua camisa deve cair bem, a gravata com o nó correto e, de preferência, estar de paletó.

Gesticulação exuberante, a mão sobre a mesa, em primeiro plano, são causas de distorções de imagens. Se os gestos, numa palestra perante o público, dão mais vigor à comunicação, em televisão precisam ser mais comedidos. Estas considerações são válidas não só para uma apresentação dirigida a milhares de pessoas, como nas gravações de vídeo para treinamento de pessoal, e reuniões televisionadas, em circuitos fechados, de empresários, falando em diferentes cidades.

As fotografias são parte importante na projeção de uma imagem profissional. Durante um banquete, quando a pessoa perceber que está sendo alvo do fotógrafo, pára de mastigar. Nas festas, evita de ser fotografada (ou filmada) com o copo de bebida na mão, pois uma personalidade em evidência, aparecendo no jornal numa sucessão de fotos com o copo de uísque, pode dar a idéia de ser dependente do álcool. Os políticos cuidam muito deste detalhe. A mesma coisa com o cigarro, um vício aceitável, mas combatido na comunidade. Ser fotografado com o cigarro na mão não soma para a imagem forte de um empresário. Ao contrário.

UNIFORMES

O Museu de Arte Moderna de Nova Iorque realizou, em 1993, "*Readymade Identities*"(Identidades prontas para vestir) exposição mostrando o rigor com que os uniformes suprimem a identidade das pessoas. O exemplo mais forte foi a composição de manequins vestidos como guardas de quatro museus americanos. As cores escuras são para eles passarem despercebidos entre os visitantes, sem tirar o efeito das obras de arte. Na mostra de contestação, o suíço John Armleder apresentou uma escultura composta de um armário aberto, com espelhos, quatro paletós azul-marinhos pendurados em cabides. As peças com o mesmo comprimento de manga, ignorando as proporções individuais dos executivos dos anos 50, foram fabricadas por Brooks Brothers, indústria que veste os homens de negócio há mais de cem anos.

Através destas manifestações de arte contemporânea, de crítica aos costumes, podem-se constatar as transformações que se operaram no modo de vestir dos executivos, sem a quebra de um padrão de identificação, mas com o gosto pessoal preservado na maioria dos detalhes. Esta evolução projeta-se nos uniformes que passaram a ser qualificados em função do *design* e da qualidade.

As exigências de uma padronização de cores da roupa do pessoal de uma empresa, de acordo com sua comunicação visual, começam a atingir os executivos. Um exemplo está sendo dado por diretoras de agências de turismo que vestem uniforme, um pouco diferente do das funcionárias, mantendo as mesmas cores. O objetivo é marcar a presença do grupo em serviço num aeroporto e nas próprias agências.

A reação contra o uniforme, muito comum em décadas passadas, quando ele era exclusivamente funcional e ligado à imagem de operários de fábrica, mecânicos e bancários, deixou de existir, em primeiro lugar pelo cuidado que as empresas passaram a dar ao seu *design*. As companhias de aviação são pioneiras na implantação do estilo em uniformes, assinados por grandes nomes da moda internacional como Armani, Valentino e tantos outros. Logo, foi a mudança de mentalidade das grandes organizações que adotaram uma estratégia para que o visual de seus funcionários, em diferentes escalões, expressassem sua identidade pública num elevado nível de qualidade. A categoria do traje estimula seu uso e até é motivo de orgulho, também sendo valorizado, pelo funcionário, a economia que faz de suas roupas.

A concepção moderna de uniforme tem como premissa a identificação com a cultura da empresa, seu espaço, as funções e não a despersonalização de seu pessoal. Prova disto é o jogo diferente de uma mesma combinação de cores marcando os departamentos através do uniforme. Exemplo? Se as cores da empresa forem bordô-bege-marinho, serão repetidas nos trajes, cada setor com a predominância de uma das cores, guardando a mesma luminosidade.

As pessoas não se dão conta, mas há no uniforme que parece ditatorial um fator democrático muito forte. A funcionária cujo marido ganha bem, ao vestir o uniforme, não se destacará das companheiras, com suas roupas pessoais de melhor qualidade e mais variadas.

Escolha do uniforme

A primeira condição é ser realizado um estudo sobre a empresa e a funcionalidade exigida pelo traje de trabalho. Há estilistas que fazem um estágio nos vários departamentos para observar a realidade funcional. Tecidos duráveis e de fácil conservação, bom corte e acabamento são fatores fundamentais. Uma linha *workfashion* – a palavra composta inglesa é trabalho/moda – deve ter uma modelagem atual.

No planejamento dos uniformes, o barato pode sair muito caro e não se deve poupar no número de mudas de roupa. Com três réplicas de peças padronizadas, sua durabilidade é bem maior. Os detalhes precisam ser estudados, um deles se refere aos botões de reserva: nas camisas, devem vir presos na parte interna da vista, e nos paletós e *blazers*, no bolso interno superior esquerdo. Empresas com muita rotatividade de pessoal optarão por formas mais largas, costuras por dentro, bainhas grandes e elástico na cintura.

Um uniforme deve ter uma linha que favoreça às diferentes anatomias. A partir de estudos sobre o biotipo brasileiro, a Santista elaborou uma tabela de medidas básicas para as confecções do segmento *workfashion.* Em linhas gerais, aconselha-se, em vez de casaquinhos mais ajustados e curtos, *blazers* que cheguem aos quadris, levemente acinturados, favorecendo a altas, baixas, magras e gordas. Grande quantidade de botões dificultam a conservação de uma peça; dourados em profusão e estamparias cansam logo.

É da maior importância que o uniforme se integre na decoração dos ambientes, por isso, é conveniente estilistas e decoradores trabalharem em combinação. As peças padronizadas mais sóbrias – *blazers* e camisas – precisam ter alguma discreta identificação com a empresa estampada ou bordada também para não serem usadas fora do expediente de trabalho. Não há roupa que resista.

O uso

A primeira condição é manter o uniforme sempre impecável. A roupa é uma extensão do corpo, um invólucro, que enruga e gasta de acordo com a anatomia, os movimentos e os gestos. Quem costuma apoiar os cotovelos na mesa tende a gastar a manga nesta região. Há também os mais descuidados que mancham facilmente uma camisa. Estes sinais e o desleixo são muito mais notados num uniforme do que na roupa da escolha de cada um, porque seu uso é cotidiano e coletivo.

Existe a tendência natural da personalização através dos acessórios, principalmente entre as mulheres. Brincos pingentes, flores na cabeça, pulseiras que fazem barulho ao menor movimento, perfume forte que permanece nas roupas são pecados cometidos por algumas mulheres uniformizadas. Laço chanel preto fixando um rabo-de-cavalo ou um coque, passadores de tartaruga, tiaras estreitas em tom neutro e discretas jóias de *design* em prata ou ouro são admissíveis.

O uniforme tem uma influência forte sobre o estado de ânimo das pessoas e ao vesti-lo elas assumem mais facilmente o papel que desempenham numa jornada de trabalho, com tendência a esquecer até seus problemas pessoais.

Questões de Protocolo

No mundo oficial e nas relações internacionais, há necessidade, além da prática das regras de boas maneiras, de uma regulamentação mais rígida do lugar que as pessoas com cargos públicos ocupam numa reunião formal, estabelecendo-se as precedências e o tratamento que é de direito em decorrência do título e da função exercida. A observância do protocolo é o cerne de um cerimonial. O pesquisador francês Pierre Lascoumes, interessado em regras jurídicas e em costumes ligados a sua aplicação, refere-se ao protocolo como trânsito do poder. "Sem o protocolo, todas as recepções oficiais e ocasiões de encontro entre personalidades políticas, culturais, econômicas – que são ou que acreditam ser – seriam ocasiões de disputas incessantes."

Cerimonial

Toda a solenidade, mesmo não-oficial, segue uma programação constituída por um conjunto de formalidades. Fala-se no cerimonial de casamento, de um ato religioso ou da festa comemorativa do aniversário de uma empresa. O termo bastante pomposo está vinculado às reuniões palacianas, surgido com a etiqueta e o protocolo nas cortes. Enquanto o cerimonial determina a seqüência de acontecimentos num evento, a etiqueta se concentra no comportamento dos anfitriões e convidados.

Um acontecimento que envolva representantes do mundo oficial exige que seus organizadores solicitem orientação do cerimonial da Presidência da República, do Itamaraty e do Governo do Estado, quando incluir o Presidente da República, o Governador, ministros e autoridades estrangeiras. O modo correto é enviar aos chefes daqueles cerimoniais a relação dos convidados, a programação e o esquema de precedências para possíveis correções.

SUSCETIBILIDADES

Se alguém de posição social mais elevada ou mais idoso sente-se desconsiderado por não ser distinguido entre os lugares de honra, pode-se avaliar o que representa para um secretário de Estado estar posicionado abaixo dos seus direitos. Mas isto acontece. No tempo dos Kennedy na Casa Branca, durante um banquete, o embaixador da França se retirou, enquanto serviam a sopa, em protesto ao lugar que lhe fora designado à mesa. Há convidados igualmente ofendidos que usam uma forma mais ponderada de protesto: viram o prato para baixo. É um jeito de criticar o anfitrião pela desconsideração, sem atingir os convidados e o homenageado.

PRECEDÊNCIAS

Ao pessoal incumbido da organização de eventos, numa média ou grande empresa, é conveniente consultar o manual do decreto nº 83.186 de 19 de fevereiro de 1979, com as normas do cerimonial público, regulamentando a ordem de precedências nas cerimônias de caráter oficial em Brasília, nos estados com a presença de autoridades federais e nas cerimônias oficiais, de caráter estadual.

A maioria dos estados possui o seu manual de Normas do Cerimonial Público, que deve fazer parte da biblioteca de todo departamento de eventos. O de São Paulo data de 5 de janeiro de 1978, indicando as precedências de autoridades federais e estaduais numa cerimônia que se realize no Estado. O do Rio Grande do Sul segue o Decreto Nº 30.012, de 31 de dezembro de 1980.

❑ O Governador, o Cardeal, o Vice-Governador do Estado, o Presidente da Assembléia Legislativa, o Presidente do Tribunal de Justiça, ex-governadores do Estado e ex-vice-governadores do Estado (os dois últimos se não estiverem exercendo cargo público) terão precedência sobre as demais autoridades estaduais. Esta determinação não se aplica, porém, aos presidentes do Congresso Nacional, da Câmara dos Deputados, do Supremo Tribunal Federal, aos Ministros de Estado, aos titulares dos Gabinetes Militar e Civil da Presidência da República, ao Chefe do Serviço de Informações e ao procurador-Geral da República que passarão logo após o Governador.

✓ A precedência dos governadores é determinada pela ordem cronológica da constituição histórica de seus estados: Bahia, Rio de Janeiro, Maranhão, Pará, Pernambuco, São Paulo, Minas Gerais, Goiás, Mato Grosso, Rio Grande do Sul, Ceará, Paraíba, Espírito Santo, Piauí, Rio Grande do Norte, Santa Catarina, Alagoas, Sergipe, Amazonas, Paraná, Acre, Distrito Federal, Mato Grosso do Sul, Rondônia, Amapá, Roraima, Tocantins e Territórios.

✓ O cardeal tem a posição de príncipe herdeiro. Poderá ser papa, considerado dignatário de país estrangeiro. No protocolo, passa na frente de ministro e vem logo após o presidente da República ou da autoridade máxima presente.

✓ Secretários de Estado têm sua precedência de acordo com a ordem cronológica de criação do órgão do qual são titulares. Justiça, Fazenda, Interior, Desenvolvimento Regional e Obras Públicas, Agricultura e Educação são os seis primeiros por ordem hierárquica.

✓ Os prefeitos municipais têm sua precedência determinada pelo número de habitantes de cada município. Uma solenidade em seu município, à qual o governador não comparecer, é ele quem preside.

✓ Em igualdade de categoria, a precedência em cerimônias no âmbito estadual é dada, em primeiro lugar, às autoridades estrangeiras e, logo, às autoridades e funcionários federais, estaduais e municipais. Tratando-se de missões estrangeiras, em visita oficial ao Estado, a precedência de seus componentes cabe ao Chefe da Missão residente determinar.

✓ Diplomatas, agentes consulares e personalidades estrangeiras podem ser intercaladas entre as altas autoridades federais, estaduais e municipais. A precedência entre dois cônsules é a do mais antigo no posto (está há mais tempo no consulado daquela cidade). Um vice-cônsul honorário, ainda que desfrute de grande prestígio numa comunidade, não tem precedência para sentar-se ao lado de um ministro.

✓ Nas cerimônias empresariais, é comum destacar deputados. Teoricamente, têm a mesma precedência, mas ela pode ser estabelecida pelo número de mandatos (o mais antigo) e pela idade. Eles vêm depois dos secretários de Estado. Representando o presidente da Assembléia Legislativa, através de comunicação, um deputado ocupa o lugar devido àquele.

✓ Nos atos de inauguração, descerramento de placas e aberturas de feiras, realizados com todos de pé, os membros da linha de frente são colocados, como numa mesa de honra, de acordo com as precedências.

✓ Até num documento, na assinatura de um contrato, existe o lugar de honra. Fica à direita do papel e quem assina primeiro é a pessoa mais importante.

Outras Precedências

No aeroporto

✓ Quem desce primeiro do avião é a pessoa mais importante de um grupo de empresários. Ao partir, ele embarca por último e é fechada a porta do avião.

✓ Para evitar aglomeração, é formada uma linha de recepção com os diretores da empresa lado a lado, e os demais executivos pela importância da função ou idade. O presidente apresenta um a um ao visitante.

No carro

✓ O lugar de honra é atrás, à direita em relação ao motorista. O carro ficará junto ao meio-fio da calçada e quem entra primeiro é o convidado. O anfitrião dando a volta, entrará pela outra porta. Em último caso, o anfitrião entra primeiro, desliza no banco, deixando a sua direita ao outro.

✓ Havendo mais duas pessoas além do convidado, quem fica no meio é aquela de menor hierarquia. Se for um executivo jovem, sentará ao lado do motorista.

✓ Ao sair, é o acompanhante que desce primeiro do carro. Se o motorista não abrir a porta do convidado, o anfitrião poderá fazê-lo.

✓ No exterior é comum os carros maiores, tipo limusine, com banquinhos fixos à parte dianteira do assento do banco da frente. Estes lugares menos confortáveis são para as pessoas de menor hierarquia no grupo e, nestes carros, o convidado mais importante sairá primeiro.

Mesa de Honra

Quando entre os componentes de uma mesa houver estrangeiros que não dominem a língua do país, pode-se sair fora da hierarquia rígida. Colocar ao lado do visitante uma pessoa que fale o mesmo idioma facilita muito a comunicação e pode eliminar a presença de um intérprete, atrás das pessoas sentadas.

✓ Quando o governador do Estado não comparecer, seu representante sendo o vice-governador ocupará o lugar destinado aquele. Caso contrário, o anfitrião presidirá a mesa e o representante do governador ficará à sua direita.

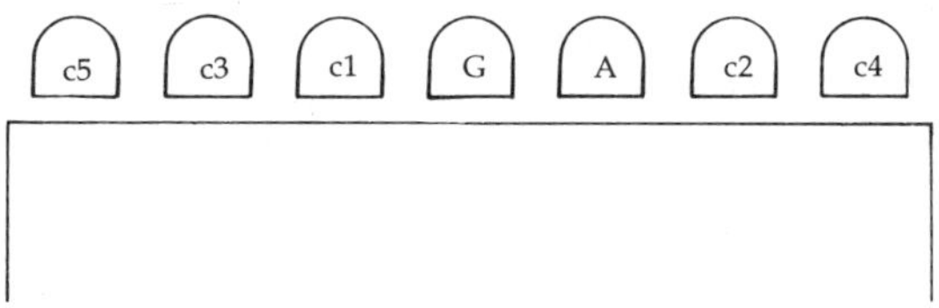

c. Convidado; G. Governador do Estado; A. Anfitrião

Pode haver também copresidência e a mesa é par. Exemplo? O governador do Estado e um ministro, este à direita daquele. O anfitrião, presidente da empresa, ficará à esquerda do governador e à direita do ministro poderá estar o presidente do conselho da empresa. Os critérios devem seguir o protocolo, mas sempre baseado no bom senso, de acordo com as circunstâncias e da própria política da empresa que promove um evento.

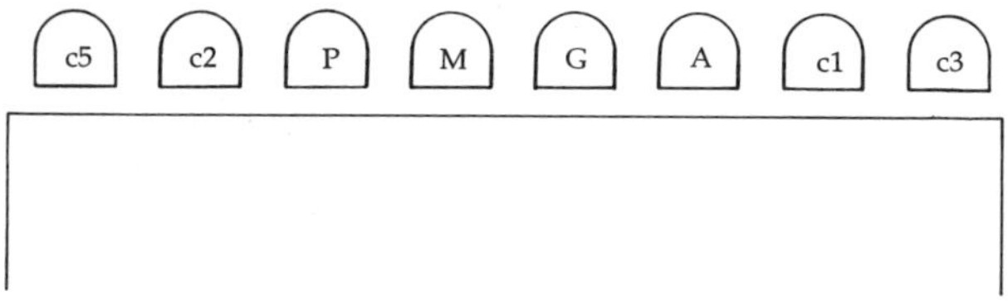

c. Convidado; P. Presidente do Conselho da Empresa; M. Ministro; G. Governador do Estado; A. Anfitrião.

Numa solenidade empresarial, a colocação dos lugares à mesa intercala autoridades e empresários, de acordo com as precedências e a hierarquia, mantendo-se o núcleo essencial. É o bom senso, no entanto, que resolve os pequenos acertos, peculiares a cada situação. O diretor-presidente preside a mesa e, na marcação dos lugares, são levados em conta laços afetivos, idade e posição social dos convidados, seguindo também a política da empresa. O ideal é fazer a mesa o menor possível, evitando que as precedências sejam discutidas. Os japoneses sabem disto e não fazem mesa, usando apenas o pódium para cada um dos oradores.

Para melhor entender a distribuição dos lugares de uma mesa de honra, imagina-se a abertura de uma convenção de um grupo empresarial. As senhoras estarão presentes, mas não participarão da mesa, ocupando as cadeiras da primeira fila do auditório.

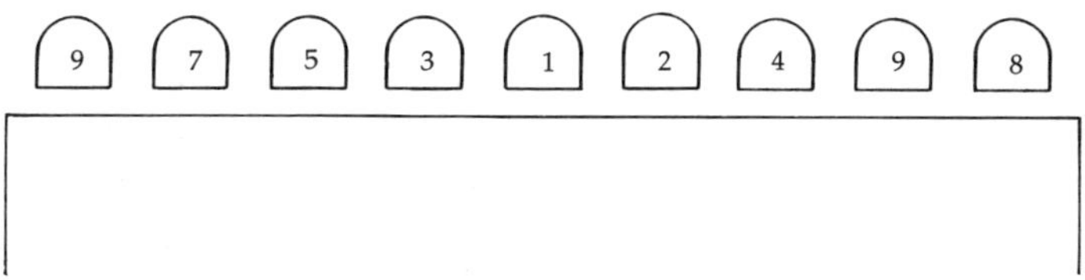

1. Governador; 2. Diretor-presidente do grupo; 3 Ministro da Economia; 4. Presidente da Assembléia Legislativa; 5. Prefeito Municipal; 6. Vice-presidente do grupo anfitrião; 7. Diretora; 8. Empresário de país estrangeiro, parceiro da empresa 9. Secretário de Indústria e Comércio.

✓ A superstição, tão generalizada, de que o número 13 dá azar, entra como um sinal cultural no protocolo, evitando mesas com treze pessoas.

✓ Uma senhora não fica na ponta da mesa de honra, ainda que a situação hierárquica seja mais baixa que a do cavalheiro que sentar depois dela.

✓ Todos os membros da mesa, inclusive mulher, aguardam que o anfitrião sente primeiro.

✓ Nos discursos, os oradores se dirigirão aos componentes da mesa, seguindo as mesmas precedências.

Esposas & Maridos & Precedências

✓ Muitas vezes, em convenções, as senhoras ficam na primeira fila do auditório, sentadas na mesma disposição que os maridos ocupam na mesa principal. O marido da diretora da empresa, se não faz parte da organização, senta-se na platéia, junto a um alto executivo ou convidado importante.

✓ Quando uma cerimônia envolver as senhoras das autoridades, como têm a mesma precedência do marido, a elas será dado tratamento equivalente.

✓ É comum, na programação de um evento empresarial, haver reuniões e programas paralelos *only for ladies*. Almoços e chás são freqüentes e a disposição dos lugares à mesa de honra obedecerá ao esquema de precedências que elas têm direito.

✓ Qual a precedência do marido de uma ministra numa mesa de honra? A mesma das esposas das autoridades. Se o marido, porém, tiver alta função pública, terá a precedência correspondente a ela.

✓ Em desfiles de moda, quando a primeira-dama comparece deve ser aguardada pelos anfitriões. Muitas vezes, uma empresária-estilista permanece nos bastidores. Seu marido – ou um membro da família – ficará à esquerda da primeira-dama, como anfitrião.

As Mesas num Banquete

Ao fazer o planejamento de uma festa, é conveniente rascunhar a planta baixa do local e determinar as áreas de distribuição para recepção às autoridades, convidados especiais e o cenário onde vai transcorrer uma cerimônia. Funciona para os organizadores como uma maquete cênica.

Nos banquetes, usa-se a formalidade do *plan de table* (plano de mesa), que é um mapa com a mesa ou as mesas com os lugares numerados. Há palácios de governo que possuem, à entrada do salão, um esquema desenhado. No convite, constará o número correspondente ao lugar do convidado, reproduzindo aquele mapa, no verso, e na mesa haverá um cartãozinho (*place card*) com seu nome, marcando o lugar.

É um processo complicado. Sempre faltam pessoas, na hora, e acabam "subindo" alguns convidados para os lugares vagos melhor colocados. Costuma-se também deixar um certo número de suplentes, evitando as cadeiras vazias. É um caso típico de *faire a danser* (para fazer dançar), expressão originária dos bailes da nobreza, em que há pares de reserva para as moças não ficarem sem dançar.

Em grandes almoços e jantares, a mesa principal retangular fica junto à parede, os comensais sentados de frente para a porta de entrada. (A origem deste costume é muito antiga, quando os nobres temiam uma cilada.) Usa-se a alternância de homens e mulheres, e os cônjuges não se sentam lado a lado. As mesas que ficam próximas à de honra são as mais importantes. A tendência é evitar a enorme mesa, pouco aconchegante, que restringe a conversa do convidado àqueles que estão a seu lado.

ANFITRIÕES

As mesas redondas, para oito ou dez comensais, vêm sendo, por isso, as preferidas. Chega-se até a eliminar a mesa de honra retangular e o anfitrião fica recebendo numa e a anfitriã na outra. Cada diretor e gerente adota uma mesa, fazendo as vezes de anfitrião com a esposa, reservando a sua direita à convidada e ao convidado de mais destaque.

Nos Estados Unidos, num evento maior, usam, à recepção, ter um mapa das mesas com o nome de seus respectivos anfitriões e o de uma personalidade vip da comunidade incluída para dar maior atração. O convidado, ao chegar, olha o mapa e escolhe onde quer sentar, com quem gostaria de conversar. Há sempre o cuidado, da parte dos relações-públicas, de colocar na mesa ocupada por uma personalidade importante uma ou duas pessoas capazes de manter a conversa no mesmo nível de interesse. Destas misturas surgem as festas mais divertidas. Mesmo um banquete.

AUDITÓRIOS

Nas empresas que possuem um auditório para um mínimo de 60 poltronas, ou quando é usado um teatro com a platéia dividida por um corredor central, em geral, a primeira fila à esquerda fica reservada aos convidados especiais. Em teatro, quando há concertos de piano, não há dúvida em colocar os vips do lado esquerdo de quem entra na sala, garantindo a visibilidade do teclado do piano, situado sempre do lado direito do palco.

Como as primeiras filas para assistir a um espetáculo sinfônico ou à ópera são pouco confortáveis, até chamadas "filas de gargarejo" pela posição que os espectadores ficam, de queixo para cima, os lugares de honra são marcados das filas D a H. Em teatros com camarote, é usado o central, destinado às autoridades.

Nas igrejas, também há lugares mais destacados e é ainda usado, na Europa, colocar cadeiras nos dois lados do altar.

Usual, no entanto, são os lugares de honra serem marcados na primeira fila de bancos, à direita de quem entra pela nave central. É como determinam Jean Sèrres e o brasileiro Nelson Speers, autores especializados em cerimonial e protocolo.

BANDEIRAS

Num banquete, almoço de entidades de classe ou mesmo numa reunião de caráter interno de uma empresa, a bandeira nacional ocupará sempre o lugar de maior destaque. Ela pode ficar atrás da mesa principal, à vista da platéia, à esquerda do centro onde está o anfitrião ou palestrante. A bandeira do Estado é colocada à direita da bandeira da empresa, vistas de frente. Na igreja católica, a bandeira da Santa Sé dá a sua direita à bandeira brasileira.

Muitas vezes não há mesa principal e as bandeiras são colocadas junto à parede mais importante, de frente para a porta de entrada, à vista de todos. Nesta posição, havendo bandeiras de estados e agremiações, a bandeira nacional é colocada ao centro, numa pequena elevação, se as outras forem em número par. Caso contrário, a bandeira nacional fica sempre à esquerda do centro de interesse.

Numa reunião de empresa com parcerias estrangeiras, a bandeira do Brasil é a primeira, tendo à sua direita, vista de frente, a bandeira do país ao qual é dada maior importância, seguida pelas demais bandeiras em ordem alfabética do nome do país de origem.

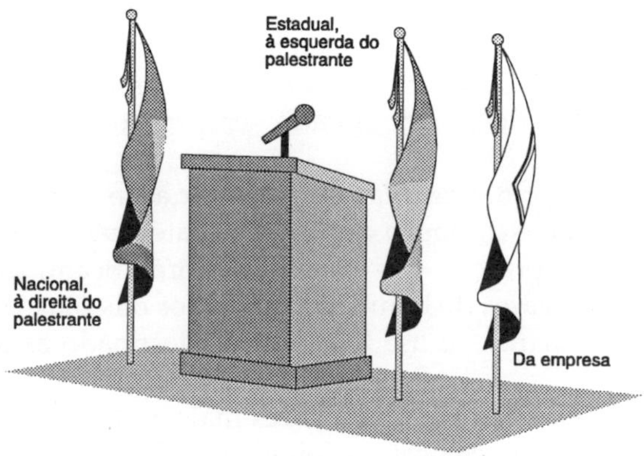

Hinos

Numa cerimônia em que seja tocado o hino de um país estrangeiro, por questão de cortesia ele deve preceder o hino nacional. Num ato solene regional, é este que abre a cerimônia, encerrada com o hino estadual. Quando o hino não for cantado, basta tocar a partitura sem repetição dos estribilhos.

Ao ser executado o hino nacional numa solenidade, o público deve estar em pé, em silêncio, mantendo uma postura is formal em sinal de respeito. Antigamente, os aplausos eram reservados apenas quando o hino fosse tocado por orquestra sinfônica em concerto. Passaram, no entanto, a serem aceitos como expressão de amor à Pátria. O hábito de colocar a mão direita sobre o coração, durante a execução do hino nacional, segue modelo dos Estados Unidos e da França.

Tipos de Mesas

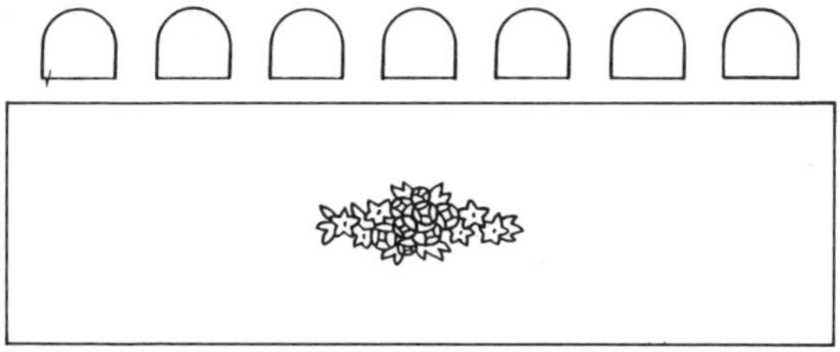

Mesa de honra: os lugares só de um lado.

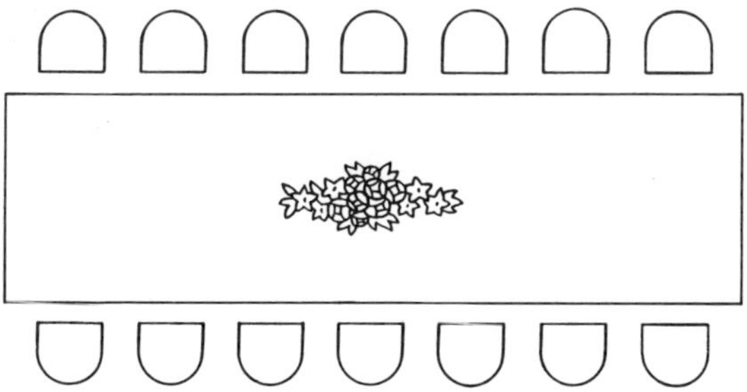

Mesa francesa: os dois lados ocupados, anfitriões ao centro, frente a frente.

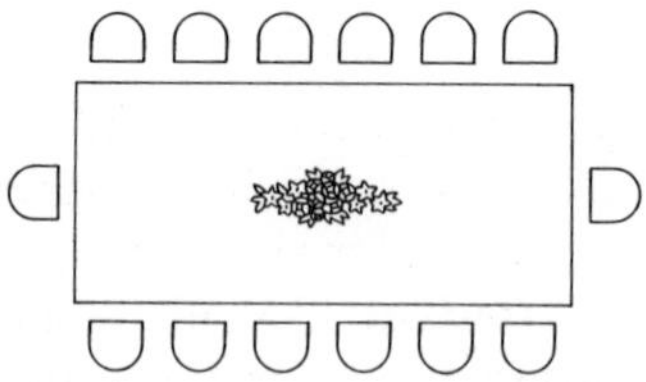

À inglesa, mesa mais larga que não permite conversa frente a frente. Anfitriões nas cabeceiras e convidado e convidada de honra à sua direita

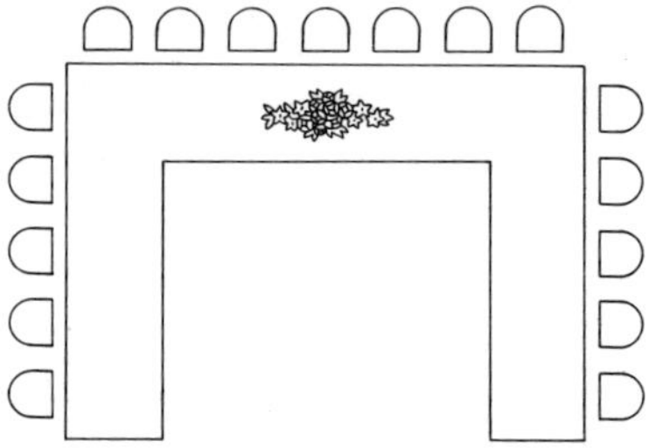

Em **U**, os lugares só nos lados externos.

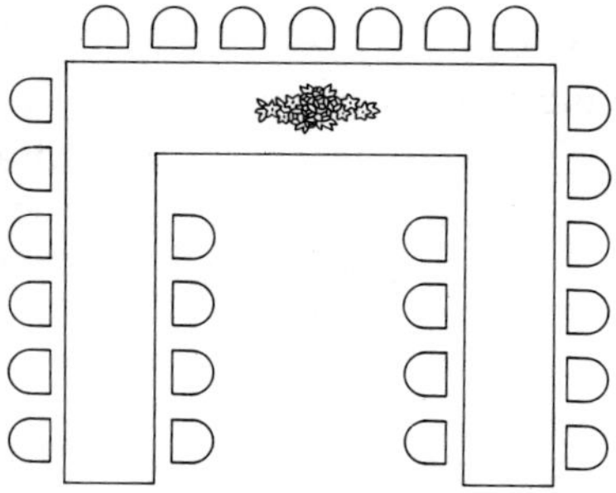

Em **U** completo, com lugares externos e internos, mas livre à frente dos lugares de honra.

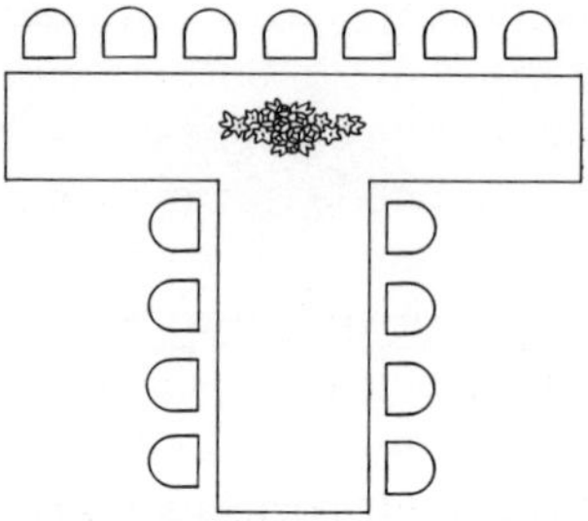

Em **T**, não sendo usadas as extremidades.

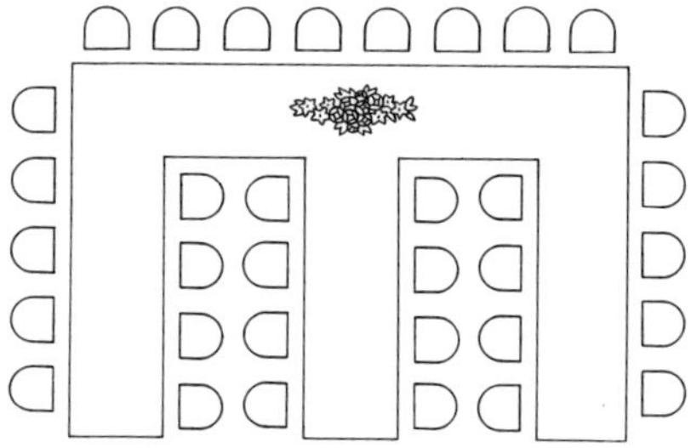

Com ramificações, para grandes banquetes. Nestas mesas, em geral, são marcados só os lugares da cabeceira e das extremidades próximas a ela.

Atraso de uma Autoridade

Banquetes em comemoração a uma data especial de um grupo empresarial incluem, quase sempre, uma alta autoridade à mesa de honra. Às vezes, o governador. O convite deve ser entregue pessoalmente ou ao chefe da Casa Civil, com mais de um mês de antecipação, em audiência, mediante hora marcada. Mesmo sendo confirmada a presença, deve-se fazer uma nova confirmação três dias antes. Imprevistos fazem parte da vida. Uma autoridade com seu cônjuge ou um casal homenageado podem se atrasar e até não comparecer ao evento.

A etiqueta manda que um jantar comece com o convidado especial presente, mas também ensina a não deixar os demais esperando por muito tempo. É uma desconsideração. Aguarda-se meia hora e avisa-se que um imprevisto provocou o atraso e o jantar terá início. Não ficam lugares vagos ao lado dos anfitriões, o que pareceria um desprestígio deles. Como proceder?

1. Seguir ainda as precedências e "subir" para o lugar de honra a pessoa mais qualificada que estiver na mesa.

2. Para que as extremidades não fiquem vagas, ali são colocadas pessoas ligadas à empresa. No caso dos retardatários chegarem, cedem seu lugar a eles (*pour faire a danser*). Mais fácil é retirar os talheres dos últimos lugares.

3. Se os convidados atrasados ainda chegarem, colocá-los nas cabeceiras, sempre um lugar de realce.

TRATAMENTO

É a própria constituição que confere o tratamento às autoridades. São chamados Excelência (V. Excia.): o presidente da República, os oficiais generais das Forças Armadas, o vice-presidente da República, os ministros e chefes de gabinete da Presidência da República, os membros do Congresso Nacional, os ministros desembargadores e juízes dos tribunais, os embaixadores e ministros, os chefes de missões diplomáticas estrangeiras, o prefeito do Distrito Federal, os governadores, o chefe de polícia do departamento Federal de Segurança Pública, o procurador-geral e o subprocurador-geral da República, os procuradores-gerais, os auditores militares, os membros do legislativo estadual, os arcebispos e bispos (acrescida a expressão Reverendíssimo). Um cardeal é tratado por Vossa Eminência (V. Ema.) e arcebispos e bispos por Vossa Reverendíssima (V. Reva.). O reitor é chamado de Magnífico, Vossa Magnificência e, ao tratar diretamente, Sua Magnificência.

Enquanto na correspondência estes títulos devem ser mantidos, no tratamento dispensado frente a frente a tendência é simplificar e, ao conversar com uma autoridade, dirigir-se ao Sr. Presidente e tratá-lo por senhor.

Na correspondência (*Etiqueta na Prática*, pág. 35), tratando-se de uma carta pessoal, podem surgir algumas dúvidas. Um empresário, ao escrever uma mensagem de pêsames a um governador, envia à sua residência particular se ele não residir em palácio. No envelope, manuscrito, mantém a titulação, mas no cartão, escrito a próprio punho, o tratamento é o habitual entre os dois: Prezado amigo Fulano... ou Prezado Senhor.

À Sua Excia. o Sr.
Dr. Fulano de Tal
Governador do Estado Tal
O endereço
Cep – Cidade

O Social na Profissão

Grandes ou pequenas, as festas promovidas por empresas são acontecimentos que guardam as características formais do evento puramente social, mas envolvem mais sutilezas. Uma gafe em sua organização pode atingir a imagem da empresa, interna e externamente. A festa é sempre um investimento que tanto pode ser realizado para conquistar maior prestígio como para retribuir as atenções recebidas de parte de clientes e autoridades. É oportunidade para estreitar o relacionamento entre o pessoal interno e proporcionar-lhe novos contatos dentro da própria empresa e com os outros convidados.

Um encontro social-empresarial não deixa de ser um produto, prova disto é o número crescente de empresas de produção de eventos, uma verdadeira indústria que visa a aproximar as pessoas numa atmosfera de lazer. Como todo produto, a festa exige uma avaliação do público ao qual se destina. A escolha do local deve estar de acordo com o perfil dos convidados e, quando se tratar de grupos heterogêneos, os promotores deverão optar por um tipo de reunião e ambiente que agrade a todos. Numa grande comemoração que deverá congregar executivos e funcionários de diferentes níveis, um almoço ao ar livre, um jantar num restaurante típico ou na sede campestre de um clube, com uma ambientação agradável, é a solução ideal. Até o refeitório de uma indústria, decorado festivamente, pode ser o cenário adequado à confraternização.

Há empresários que, por ocasião de uma data mais significativa da história de sua organização, na impossibilidade de reunir num só local e mesmo estilo de festa a população de seus funcionários, em seus diferentes níveis, promovem eventos simultâneos. Enquanto se realiza a recepção ao mundo empresarial e autoridades em ambiente mais solene, nos espaços de lazer e da fábrica pode ser servido um grande bolo de aniversário, com a presença de alguns executivos para brindar com os operários.

PROJETO

É aconselhável que o anfitrião participe das primeiras decisões numa recepção mais importante, para imprimir características de seu estilo pessoal e sentir-se à vontade recebendo os convidados. Isto deve ocorrer, principalmente, quando o evento for organizado por um promotor profissional, durante reunião com os assessores da empresa. Há empresários que preferem não interferir e ver tudo pronto, na hora da festa. Outros, mais minuciosos, gostam de vibrar já com os preparativos. Afinal, a festa deve ser agradável a todos, principalmente aos donos, que nela exercitam seu poder de sedução, inerente ao prestígio e à conquista de novos clientes.

O desenho da organização de uma festa empresarial, independente de sua motivação, quer seja um churrasco ou uma recepção num clube mais sofisticado, segue certas prioridades. Alguns itens podem ser eliminados, mas as assessorias devem ser competentes ao fazer a seleção, dividindo as responsabilidades para melhor cuidar dos detalhes. O coordenador tendo a visão de conjunto, à hora da festa, estará atento até para detectar o isolamento de um convidado, procurando aproximá-lo a um dos grupos com os quais guarde maior afinidade.

Orçamento

Os meios disponíveis sinalizam as possibilidades do tipo de festa. Num mundo em que a qualidade se tornou um valor maior, se não houver condições materiais que garantam um ambiente confortável, um bom vinho e pratos saborosos à mesa, é preferível abrir mão de um projeto mais ambi- cioso.

A imaginação dos profissionais de relações-públicas será posta em prática para soluções alternativas, de menor abrangência, mas mantendo a categoria. É melhor não promover do que fazê-lo mal, e quanto mais ambicioso o projeto, maior o risco de sua repercussão, pela natural tendência em dar maior realce ao lado negativo das coisas. Pesquisas de uma entidade americana de marketing revelam que o convidado de uma bela festa passa sua impressão a apenas três pessoas. Se não gostou, comenta com onze.

Lista dos Convidados

O esquema da organização começa com a escolha dos convidados. É a partir do calendário que se marca o dia para um evento, considerando a disponibilidade do público alvo. A véspera de um feriadão é fatal para reduzir este público, e uma coincidência de datas também será prejudicial. Por isso, informar-se das agendas dos departamentos de eventos de clubes e hotéis da cidade é uma providência útil.

Além das pessoas do círculo natural de relações da empresa, incluindo autoridades, é recomendável convidar alguns vips dos meios culturais e pessoas interessantes para movimentar os assuntos. Se as reuniões familiares são mais agradáveis com a presença de conhecidos que não freqüentam habitualmente a casa, nas festas empresariais esta influência ainda é maior.

Quando um grupo abre uma filial, em outro município, deve levar em conta fatores característicos deste meio social. Se as autoridades estaduais são importantes, dependendo do vulto do empreendimento, não podem ser esquecidas pessoas formadoras de opinião, incluindo lideranças religiosas. Ao promover o evento, usa-se, além dos meios de comunicação de maior abrangência, os veículos locais que, por mais restritos que sejam, fazem parte da cultura daquela cidade.

Dependendo do tipo de recepção, são incluídos os cônjuges dos convidados. Em festas para lançamento de um produto, as esposas participarão se ele também for de seu interesse. Podem ser eventos pequenos, mas agradáveis, realizados mais para provocar a mídia espontânea na imprensa. O lançamento de um carro, modelo mais sofisticado que poderá agradar as mulheres, é feito às 21 horas. Um encontro exclusivamente masculino será marcado para as 19 horas, após o trabalho. Nas grandes cidades, com dificuldade de trânsito, é muito comum este horário, pois os convidados saem do escritório diretamente para o coquetel. O traje, nestes encontros de horários e público diferentes, pode mudar. (Ver CÓDIGO VISUAL, *A Roupa e a Ocasião*)

Elaboração da Lista

A relação deve ser escrita em ordem alfabética para facilitar o uso, constando o código postal para os convites expedidos pelo correio. Fundamental é que os nomes estejam com a grafia correta, pois repercute mal alguém ler um J em vez do G de seu nome ou o sobrenome estrangeiro mal escrito.

Para não haver a gafe de subscritar um envelope incluindo a senhora de um executivo que se divorciou, a listagem do departamento de pessoal da empresa deve ser mantida sempre atualizada. Um novo casamento será comunicado, dando o nome completo da esposa ou do marido.

A lista de clientes é patrimônio de uma empresa, por isso ela só deve ser solicitada quando houver um interesse em comum. É o que acontece num evento que envolva várias indústrias, quando a melhor medida é centralizar a expedição dos convites. Os revendedores de uma indústria de automóveis, por exemplo, que participam da festa de lançamento de um modelo, enviarão suas relações de clientes ao *bureau* de organização da festa. Assim, ficam padronizados os envelopes (tipo de letra, cor da tinta se for a manuscrito, formatação do texto) e um convidado não receberá vários convites.

COMO CONVIDAR

O convite deve ser feito com o mínimo de duas semanas de antecedência, ou mais, se envolver a preparação de traje recepção. Convidados de outras cidades exigem maior atenção porque, em muitos casos, o convite inclui passagem e esta informação deve ser dada no momento em que for feito o contato telefônico ou por fax, antes da expedição do convite impresso. Às vezes tudo é feito por telefone e fax. O número de diárias – se estiver incluído – nome do hotel e outros dados importantes já devem ser comunicados neste contato. O convidado não pode ficar com dúvidas sobre detalhes práticos que viabilizarão sua presença à festa, inclusive o traslado do aeroporto ao hotel. Nem sempre a firma que tem um de seus executivos convidado dispõe-se a arcar com estas despesas.

Onde procurar o PTA da passagem? Seu número, via fax ou por telefone, deve estar entre o elenco de informações necessárias. Num evento bem organizado, as assessorias funcionam de modo a que o convidado não tenha que tomar estas providências. No aeroporto de saída, uma pessoa estará tratando de tudo, inclusive checando a passagem. O ideal é já estar o lugar marcado no avião, daí a necessidade de se conhecer alguns dos hábitos do convidado, inclusive se é fumante.

Para garantir a presença de um vip, principalmente se a empresa anfitriã for nova, devem funcionar as secretárias ou o *promoter*. Com um mês de antecedência, antes de fixar a data – grandes festas exigem mais tempo – é conveniente perguntar ao assessor do convidado se consta algum compromisso em sua agenda na mesma data.

Quanto ao R.S.V.P. (*Répondez s'il vous plait*) seguido do número do telefone para confirmar a presença, há muitas assessorias de relações-públicas que já estão eliminando a sigla do convite. Enquanto as sociedades que seguem o modelo europeu de relacionamento obedecem ao pedido, o brasileiro está cada vez mais displicente neste sentido. Com ou sem o R.S.V.P. impresso no convite, as assessorias telefonam aos convidados, com três a cinco dias de antecedência, para ter a confirmação. Esta é importante também em relação ao custo de almoços, jantares e coquetéis, calculado por pessoa.

FESTAS INTERNAS

Não só para estebelecer o melhor entrosamento entre os convidados, mas para evitar que os funcionários passem seu convite a um familiar ou amigo, envia-se o seu crachá e o lembrete de que deve ser apresentado à chegada. (Ver cap. IV. REUNIÕES.)

É cada vez maior o número de mulheres com identidade profissional e, em conseqüência disto, usam-se dois convites para um casal. Nas festas internas, quando se trata de convidar um funcionário e sua mulher, não há problemas maiores. Fulano de Tal e Senhora.

Com a funcionária casada é que surgem as dúvidas ao subscritar o envelope. É gafe endereçar à Fulana de Tal e Esposo, numa sociedade em que as regras de etiqueta ainda são machistas.

❑ Vale aqui, abrir um parênteses sobre o assunto e lembrar que a palavra esposo não é mais usada nas apresentações e sim marido. A esposa dirá "meu marido" e ele "minha mulher" e não "minha senhora ou minha esposa" (*Etiqueta na Prática,* pág. 20).

1. É igualmente correto:

✓ Expedir dois convites, um para a funcionária, outro separado para o marido.

✓ Subscritar num envelope o nome dela e o dele juntos: Maria Angelica e Luciano Beirão. Se a mulher tem sobrenome diferente, subscrita-se assim: Regina Martins e Carlos Rodrigues. (Socialmente, usa-se o nome do marido acima.)

2. Se ambos forem funcionários:

✓ De setores diferentes, são enviados dois convites: um para ele e outro para ela. Se a festa for exclusiva do departamento dele ou dela, o cônjuge comparecerá como acompanhante.

"Luciano Beirão e senhora ou Maria Angelica e Luciano Beirão."

✓ Nas festas e jantares em caráter mais informal, quando um empresário reúne seus executivos, se estiverem envolvidos casais, a mulher do anfitrião telefona diretamente às senhoras que conhece. Caso contrário, o anfitrião pedirá ao companheiro que avise em casa que a esposa dele telefonará. Pode acontecer também que a secretária do anfitrião se dirija à do convidado avisando da festa. Ela não falará, no entanto, diretamente com o convidado, por um princípio de hierarquia. (Ver *Convites.*)

Convidados de Outras Cidades

Dependendo do nível hierárquico, um visitante deve ser recebido no aeroporto por um executivo de seu mesmo gabarito funcional. Se vier acompanhado pela mulher, ela será recebida também pela esposa do anfitrião.

As assessorias providenciam o desembaraço da bagagem. No carro, com motorista profissional, o visitante sentar-se-á atrás, à direita. As senhoras irão em outro carro.

Um executivo que não tenha motorista conduzirá o visitante em seu próprio carro, o que é considerado um gesto simpático, preferível sempre a alugar um automóvel. O lugar de honra é à direita de quem está dirigindo.

Ao chegar ao hotel, o anfitrião leva o hóspede até a recepção, onde a ficha já estará com todos os dados preenchidos, só faltando assinar. Se as despesas extras estiverem incluídas na estada, esta informação deve constar na ficha. É o momento de deixar o convidado à vontade.

✓ É muito agradável sentir manifestações de hospitalidade ao chegar no quarto do hotel: uma cesta de frutas e revistas locais, de acordo com os interesses da pessoa.

✓ Para uma executiva ou a esposa do convidado, um arranjo floral é elegante, mas um botão de rosa com um cartão de boas-vindas já significa um extra numa relação.

✓ Usa-se colocar um cartão com número do telefone do cabeleireiro para a senhora marcar hora. Nos eventos maiores, ele é incluído na papelada enviada antes com a programação.

✓ Oferecer a relação dos convidados com algumas informações sucintas de cada um é uma medida que facilita o entrosamento mais rápido após as apresentações e os contatos futuros. Exemplo:

Mario Cesar Medeiros – diretor de finanças da empresa tal. Tem mestrado em Harvard e viveu nos Estados Unidos durante dois anos, de 1985 a 1987. Sua mulher é Beatriz Kurtz, médica, e o casal tem dois filhos adolescentes.

Local

Deve oferecer todas as condições para o tipo de acontecimento a ser realizado, e não adianta um belo salão com decoração festiva se, em pleno verão, não houver ar condicionado ou, no rigor do inverno, as senhoras ficarem arrependidas de terem deixado seus mantôs na chapelaria. Um estacionamento compatível ao número de carros previstos é também muito importante. O convidado que tiver de estacionar o veículo a algumas quadras de distância já chega mal-humorado. Não havendo estacionamento próximo, é necessário contratar manobristas devidamente credenciados.

O brasileiro é um convidado indisciplinado, por sua própria natureza, e é difícil avaliar o número certo de presenças, mesmo solicitando confirmação. Em grandes festas empresariais por incrível que pareça, alguns convidados podem levar acompanhantes por sua conta. Também acontece aparecer metade do número de pessoas esperadas.

O ideal é dispor de um espaço, tipo sanfona, que ofereça recursos. Um grande salão pode ter divisórias removíveis e, se o público for maior que o previsto, elas podem ser retiradas, criando um espaço único. As cadeiras *stand by,* que ficam de reserva, também ajudam a aumentar o número de lugares. É preferível seguir esta estratégia a colocar cadeiras a mais, evitando os lugares vazios (sinal de que a festa não teve a repercussão desejada). Por outro lado, o excesso de público é sumamente desconfortável.

Festas ao ar livre são sempre perigosas. E se chover? Um orçamento mais generoso permite a montagem de toldos. Em reuniões menores, na residência de um executivo, vale a mesma precaução. O plano bem avaliado para uma nova disposição do espaço interno deixará os anfitriões tranqüilos, evitando as angústias de última hora que podem acabar com uma festa.

Primeira Impressão

A disposição dos móveis com mesas e cadeiras é o ponto de partida para manter a circulação e o conforto dos convidados.

Na decoração, por mais simples que seja, o impacto da cor (flores, toalhas), a iluminação e o som provocam a primeira impressão em quem chega, e esta predispõe um convidado a gostar ou não da festa.

Por isso, insinuar as cores da logotipia de uma empresa nos elementos decorativos do ambiente, personalizando-o, funciona como mais um meio de projeção da sua imagem. Em exagero torna-se vulgar. A iluminação deve ser agradável, sem cair na penumbra de boate numa reunião que visa promover a maior comunicação. A música ambiental suave contribui para os convidados se sentirem logo aconchegados.

Solenidade

Numa cerimônia com entrega de placa, prêmios e discursos, o cenário deve ser preparado tendo em vista as fotografias e gravações para vídeo e televisão. É um espaço que concentra a merchandização da empresa ou entidade anfitriã. O galhardete deve ficar num plano que permita seu enquadramento nas fotos das personalidades em maior evidência. Até a estatura dessas pessoas precisa ser levada em conta, para não correr o risco de a cabeça de um empresário muito alto ficar junto ao logotipo no cenário. Deve haver uma harmonia total, para que os elementos promocionais estejam integrados.

Inauguração

Nas solenidades em que é cortada a fita pelo presidente da empresa e a maior autoridade local, há necessidade de alguém estar a postos para alcançar a tesoura e recolhê-la da mão do presidente, após seu uso. A tendência é usar laço falso duplo, sem nó, em que a fita é puxada de um ou dos dois lados.

Também o descerramento de placas comemorativas exige que alguém pegue o pano das mãos daquele que procedeu ao ato inaugural. Quantas vezes estas situações de constrangimento são testemunhadas até por telespectadores.

CULTO ECUMÊNICO

A união dos credos religiosos numa solenidade torna-se cada vez mais usual. Três oficiantes incumbem-se de dar a bênção. Como convidá-los? Com um mês de antecedência será contatado o representante da religião dos dirigentes da empresa, por convicção ou tradição. No caso de ser católica, será o pároco da igreja mais próxima do grupo. Com o pastor protestante e o rabino, poderá ser seguido o mesmo critério mas, em geral, os empresários convidam os religiosos aos quais estão unidos por laços de amizade. Ao primeiro contatado será fornecido o telefone dos outros dois para que ele combine como oficiar o culto.

Não haverá cruz, nem símbolos das religiões, e a bênção realiza-se imediatamente após as saudações inerentes à solenidade.

PREMIAÇÃO

Feito por escrito o roteiro com a indicação de quem fará a entrega dos prêmios, as pessoas que os receberão devem ser avisadas e colocadas próximas ao cenário. Outra providência é informá-las do nome dos dois premiados que as antecedem, para que comecem a se aproximar. Nada mais monótono do que os vazios após a proclamação do nome de alguém que demora a aparecer. Cabe ao cerimonial prever os mínimos detalhes de modo a que tudo pareça fluir ao natural.

Nas festas internas, quando o número de destaques é grande, o mestre-de-cerimônias chamará primeiro o premiado para evitar que, em caso de sua ausência, a pessoa incumbida de entregar o troféu fique em situação constrangedora, aguardando no cenário. Os retardatários poderão receber o destaque no final, as assessorias acionando.

AUSÊNCIAS

A presença dos envolvidos num momento da solenidade deve ser checada na hora, dando oportunidade para que arranjem um substituto para aquele que vai entregar um prêmio. Será uma pessoa de cargo equivalente na hierarquia ou mais próximo de nível. Não pode ser usado um assessor que faça parte do *staff* de organização da festa para salvar a situação.

Também acontece de um premiado estar ausente e não ter indicado um representante. Neste caso, ele é mencionado no final da cerimônia.

Programação

Uma festa que inclui solenidade, discursos, exposição de um projeto através de audiovisual, jantar, show, deve ter um roteiro cuidadosamente elaborado em que o tempo é bem dosado. Tanto para um grupo pequeno de convidados como para a grande reunião, o coquetel com drinques leves congrega as pessoas que estão chegando, mas havendo muita bebida neste primeiro momento, surge uma descontração que diminui o interesse pelo que será apresentado. Por isso, o jantar é servido depois. Já o show virá à sobremesa. O desfile promovido por uma indústria de produtos ligados à moda, ainda que possa ser considerado show, como motivo da recepção, é apresentado antes do jantar. No convite deve constar "Após o desfile, será servido jantar." Uma forma para garantir a pontualidade dos convidados

Linha de Recepção

A expectativa maior de uma festa é preenchida na hora da chegada: hospitalidade, ambiente e categoria. Daí parte a disposição para o convidado desfrutar dos momentos que ali passar.

O termo linha de recepção – *reception line* – é americano, definindo a pequena fila de pessoas que estão à entrada do local onde se realiza uma festa. A primeira pessoa a ser cumprimentada por quem chega é o anfitrião, a autoridade maior da empresa, com sua mulher ao lado, e o casal co-anfitrião. Vê-se, também, o homenageado ficar ao lado do casal anfitrião. Quando a empresária for solteira, não convidará um amigo para receber junto com ela. O mesmo ocorre com o empresário na mesma situação.

A linha de recepção permanece por meia hora, a partir de 10 minutos antes do horário marcado no convite ou até que todos os convidados (ou grande maioria) tenham chegado. Sua vantagem é dar ensejo a que o relações-públicas ou mestre-de-cerimônias faça a apresentação de alguns convidados que os anfitriões não conhecem pessoalmente.

Há anfitriões que, em reuniões menos formais, preferem misturar-se logo aos convidados. Nestes casos, a recepção é feita por profissionais da casa, incluindo sempre um executivo categorizado recebendo pela empresa.

O relações-públicas competente conduzirá os convidados até o anfitrião, depois de perguntar "Já falou com o Dr. Fulano?". Muitas vezes, eles não se conhecem pessoalmente e esta aproximação é necessária.

Se houver exigência de apresentar convite, os recepcionistas devem estar postados bem antes dos anfitriões. O critério da escolha deste pessoal é rigoroso e não adianta moças muito bonitas se não forem sóbrias, e sua aparência deve ser impecável.

Meia hora antes de terminar a festa, eles podem novamente se aproximar da porta, sinal que a recepção está terminando. Em alguns convites, na indicação do horário, é estabelecida a duração máxima da festa: das 20 às 23 horas, por exemplo.

Deveres do Convidado

✓ Os convites, em caráter profissional, implicam mais rigor que os de exclusivo cunho social. Por isso, não se pode levar parentes e amigos. Nem solicitar convites para eles. A presença deve ser confirmada de acordo com o RSVP, por telefone ou fax. Se um dos cônjuges não puder comparecer, sendo um jantar com lugares marcados, deve avisar, mesmo de última hora.

✓ Apresentar o convite dentro do envelope subscritado com seu nome pois, caso contrário (exceto se o nome do convidado constar no texto do convite), o convite deixa de ser pessoal e a presença pode ser barrada.

✓ Em caso de não-comparecimento, é cortesia mandar um telegrama aos anfitriões desejando sucesso à festa. Enviar flores ainda é mais correto.

✓ Ele sempre cumprimenta o anfitrião durante a recepção e apresenta sua mulher.

✓ O convidado agradável e adequado não monopoliza o anfitrião ou pessoas mais graduadas durante uma festa, principalmente sendo coquetel, situação em que todos circulam e as conversas são rápidas.

RECEBENDO EM CASA

O Brasil ainda é dos poucos países em que os executivos recebem em casa, num clima de maior aconchego mas, nem por isso, descompromissado. A mulher, a casa e a família são a projeção do anfitrião e podem somar créditos aos olhos do convidado. Mesmo se a família estiver viajando, realizar um jantar *only for men,* num clima mais íntimo, capitaliza para selar posteriormente um negócio.

Receber em casa depende muito do estilo do executivo e também dos seus cônjuges. Alguns empresários não gostam de misturar sua vida privada com a profissão. Em relação aos assessores, preferem ir com eles a um restaurante ou tomar um cafezinho, na própria empresa, para uma conversa cordial, incluindo lazer e assuntos familiares.

Um executivo abrir as portas de sua casa é, para a maioria dos empresários, uma homenagem maior do que serem recebidos num restaurante. Os estrangeiros, sem disponiblidade de pessoal doméstico para garantir um almoço ou jantar bem servido, valorizam ainda mais este gesto.

Quanto maior segurança tiver o anfitrião como profissional, maior será a naturalidade em receber em casa, com um cardápio esmerado, mas sem a preocupação de oferecer pratos de um *cordon bleu.* Nestas reuniões domiciliares, em função de negócios, não cabem louças e guardanapos com a logotipia da empresa, mas a personalização com monograma do casal revela refinamento.

É muito importante, de acordo com o estilo de vida dos anfitriões, ser apresentada uma mesa bem posta, bebidas e comida de qualidade, mesmo sem sofisticação. Em geral, os jantares informais são até melhor recebidos pelos homens. Os americanos apreciam o *barbecue*, gostam de assar carnes e tanto eles como os europeus valorizam o churrasco feito pelo anfitrião, servido informalmente. A sobremesa preparada pela dona da casa é mais apreciada. Se alguém tocar violão, uma roda de música alegra o ambiente em final de noite.

Um jantar de executivos realizado em casa não pode ignorar as precedências. Havendo uma autoridade e um homenageado, aquela sentar-se-á à direita da anfitriã, o homenageado à esquerda. A distribuição dos lugares deve ser feita também para facilitar as conversas. (Ver PROTOCOLO.)

O modo de recepcionar

Um empresário convidado para um almoço ou jantar social-empresarial não pode ser exposto a constrangimentos. A começar pelo traje que, como em todo convite mesmo feito oralmente, deve ficar especificado: "Será uma reunião íntima. Todos à vontade, camisa esporte e sem paletó." Isto evita o desconforto da visita, de terno e gravata, e a esposa com roupa mais formal.

✓ Um executivo que não for casado receberá sozinho. Pode convidar uma amiga especial, mas ela não será co-anfitriã, pois não mora na casa. Já a companheira, reconhecida socialmente, receberá junto.

✓ No social-empresarial devem ser observadas algumas nuanças. Elogia-se um amigo com a maior naturalidade. Já um empresário pode receber um grande elogio como artificial, tendo em vista os interesses comerciais que estão em jogo.

O papel da esposa

Há dois aspectos na influência que a mulher pode ter para o sucesso profissional do marido. Em primeiro lugar é a retaguarda doméstica que ela dá, principalmente havendo filhos pequenos; em segundo, o acompanhamento na convivência social que a vida empresarial impõe.

Em casa, recebe junto com o marido e dá-lhe todo o suporte, inclusive fazendo as apresentações. Ela precisa saber, antes, quem é quem, o que significam estas pessoas profissionalmente e até decorar nomes. A mulher de um empresário deve ser atualizada, sabendo manter uma conversa com os executivos e suas mulheres, sem entrar no assunto dos negócios em si. Está a par do que ocorre de mais importante na empresa, porém não dá a entender se o marido lhe faz confidências sobre os fatos mais delicados.

✓ A mesma postura se aplica ao marido da mulher empresária e executiva.

VISITAS

Se a empresa não está comemorando uma data especial, de portas abertas – isto acontece muito nos jornais – toda visita deve ser precedida de um telefonema, marcando hora. Quando se trata de autoridades, a portaria é avisada para não apresentar o crachá de visitante a elas. O correto é deixar um funcionário mais graduado na recepção para conduzir o visitante à sala do diretor. Este o receberá na porta do escritório ou do salão de reuniões. Em geral são visitas breves.

Quais as situações que geram visitas? Cumprimentos, retribuição, luto, pedido de desculpas, sempre que uma carta ou uma chamada telefônica não forem o suficiente para expressar os sentimentos de consideração e apreço. À hora de sair, o anfitrião acompanhará a visita até o elevador ou à porta do prédio.

SESSÃO DE AUTÓGRAFOS

Muitos destes lançamentos editoriais se transformam em movimentados *happenings* empresariais, ocasião para ser visto e fazer contatos. Uma sessão de autógrafos é a comemoração do encontro do autor com seu público registrada na dedicatória que fica no livro.

Os convites devem ser expedidos simultaneamente com a divulgação na imprensa, para chegar, no mínimo, quatro dias antes do evento. É uma correspondência comercial, envelope subscritado à máquina e o convite impresso. Se o autor quiser quebrar este formalismo escreverá ao pé do convite uma frase a próprio punho – "Ficaria feliz com sua presença" – a assinatura apenas do prenome ou sua rubrica.

Uma sessão bem organizada propicia condições de tranqüilidade para o autor. Facilita muito a ele que entre a capa e a folha de rosto do exemplar a ser autografado seja colocado um cartãozinho com o nome da pessoa, bem legível, até para ser escrito corretamente na dedicatória. Esta providência cabe às assessorias. O autor, habitualmente nervoso e com uma fila diante de si, esquece, às vezes os nomes mais familiares. Não havendo porém o lembrete, pergunta: "Por favor, como é seu nome completo?"

Há pessoas que gostam de fazer desafios numa ocasião destas: "Eu ficaria muito triste se você trocasse meu nome." "Quero ver se vai lembrar quem eu sou." São verdadeiros testes de memória que merecem um sincero "não".

Um livro autografado torna-se presente valorizado. Em feiras, próximas ao final do ano, é comum que alguém, além de seu próprio exemplar, adquira outros para dar de presente. É muito simpático o escritor pedir a quem vai oferecer a lembrança que também assine na dedicatória.

Para Fulano de Tal
com a amizade de ...(assinatura de quem dá o livro)
atenciosamente
Assinatura do autor

Há empresas que são representadas numa sessão de autógrafos por um de seus executivos que apresenta vários exemplares para serem autografados. Se a sessão estiver muito concorrida, pede só a sua dedicatória, avisando que os demais livros serão enviados à editora para serem autografados depois.

Ninguém tem obrigação de comprar o livro que está sendo lançado, pois a presença já é um sinal de atenção. Não precisam entrar na fila, pedem licença e apenas cumprimentam o escritor. Os organizadores da sessão devem saber a quem distinguir, conduzindo estas pessoas diretamente à mesa de autógrafos.

Temperatura ambiental agradável, espaço, uma cadeira confortável para o autor são importantes para que ele enfrente uma longa maratona. Uma bela caneta, além de propiciar uma letra bonita, confere maior *status*. Recomenda-se colocar uma cadeira diante do autor, para quem solicita o autógrafo. Não cabem, no entanto, conversas longas nesta ocasião.

Se o evento for pouco concorrido – acontece até com escritores famosos – o autor não deve ficar sentado, braços cruzados sobre a mesa, à espera. Fica conversando com um grupo em sua volta, em local bem visível, e senta-se toda vez que autografar.

Caneta

Uma caneta boa, além de deixar a letra mais bonita, confere *status* ao seu dono, evidenciado numa sessão de autógrafos. Ela pode se tornar um fetiche e vale a pena o executivo nelas investir para seu equipamento mínimo de trabalho. As esferográficas ficam na rotina do escritório, até a vermelha, necessária para grifar trechos de um texto.

À hora de assinar um cheque, causa boa impressão fazê-lo com uma caneta de status. Na França, há pessoas que até se ofendem ao receberem uma assinatura feita com esferográfica. Mais tradicionais, as canetas-tinteiro são sempre bem cotadas. Uma antiga Parker 51do vovô, abastecida com tinta azul real lavado, é um plus, um refinamento de homens e mulheres que emprestam responsabilidade ao seu nome. Muitos são colecionadores, estimulados por séries especiais.

Caneta de pena também tem etiqueta. Não se pede emprestado, é estritamente pessoal, porque a pena pode ficar alterada ao ser pressionada por outra mão. Gravar iniciais ou o nome do dono é sinal de valorização do objeto, em caso de extravio.

A Oportunidade Bem Aproveitada

A essência da atividade empresarial é saber aproveitar as oportunidades que surgem, buscando-as nas reuniões das entidades de classe – almoços da Associação de Dirigentes Lojistas, Federação das Indústrias, seminários, etc. – festas e encontros casuais. A sensibilidade do executivo deve ser muito aguçada para não exercer pressões e saber, de acordo com as circunstâncias. iniciar um processo evolutivo, sem atropelos que joguem fora um negócio. Um jovem que causa boa impressão durante uma conversa, não precisa abordar os interesses de sua empresa para se fazer notar pelo empresário. Ele já está abrindo uma boa perspectiva para uma próxima negociação.

Num encontro casual com um empresário, é decisivo para conseguir um contato posterior lançar bem o título do negócio a ser proposto. Este exemplo é verídico:

"Estou para lhe telefonar a respeito de um novo produto de seguro de automóvel", falou o vendedor, ao encontrar um diretor de empresa, no aeroporto. Ele se apresentou ao possível cliente e lançou o título do assunto. Dificilmente um empresário bem-educado dirá não a uma abordagem deste tipo. Pede que telefone e se, depois de três ligações, não houver retorno, é sinal que não interessou. No caso exemplificado, o negócio foi fechado. O fato de conhecer um empresário numa situação privilegiada, não significa – por outro lado – que se deva abusar desta circunstância. Um exemplo negativo é conhecer alguém importante na casa de um amigo e, dias depois, telefonar à sua casa, se fazendo íntimo, convidando-o para jantar a fim de apresentá-lo a uma terceira pessoa visando a um negócio. O convite não será aceito e as portas fechadas definitivamente, pois o social deve ser uma conseqüência natural do profissional, para que não soe falso.

Como Presentear

O presente é sempre uma gentileza que na vida empresarial deve ser escolhido na medida apropriada, como uma atenção e expressão de afeto. O gerente que está por analisar uma proposta de um fornecedor, recebendo dele, em seu aniversário, um presente de grande valor, pode entender o gesto como tentativa de suborno. Vale muito mais a imaginação na escolha de um objeto original com um bonito cartão do que um presente com ostentação.

Nas grandes empresas, começa a ser estipulado um limite máximo do valor dos presentes que oferecem aos seus clientes e dos recebidos de parte dos fornecedores. Muitas delas recomendam que os presentes fora do padrão sejam encaminhados a um fundo dos funcionários, para serem sorteados, no final do ano, entre eles. É difícil estabelecer este valor máximo. Uma referência é a tabela estipulada, nos Estados Unidos, nos anos oitenta, modesta num país de primeiro mundo, e que já está sendo reajustada, tendo em vista a inflação: 25 dólares para jovens executivos, 50 dólares para os mais graduados e 100 dólares para os *seniors*.

Como recusar

Agradece-se sempre um presente, mesmo não o aceitando. Sendo entregue pessoalmente, será aberto diante da pessoa. Ao constatar sua inadequação, é devolvido na hora. Recebido em casa ou na empresa, vai de volta com o pacote um cartão agradecendo a boa intenção e expondo o motivo da devolução. É uma postura desagradável de assumir, mas necessária, em certos casos.

Como entregar

Tão ou mais importante que o conteúdo é a apresentação do pacote, procurando a harmonia entre o tipo e a cor da embalagem com o objeto. O correto, ao recebê-lo das mãos de quem o está oferecendo, é abrir o pacote naquele momento, mas com os convidados chegando, não é possível o anfitrião fazê-lo. Por isso, envia-se o presente antes, com um cartão que não será o profissional do remetente. (Ver COMUNICAÇÃO.)

Deve haver uma razão para presentear

Na vida empresarial, as gentilezas são feitas em dois níveis: o formal – presentes enviados em datas especiais, acompanhados de cartão – e o informal, que surge, ao natural, pelo convívio no trabalho. Pode ser de chefes para seus assessores, destes para aqueles, e entre os colegas. É sempre mais difícil presentear um chefe. Será uma manifestação, acima de tudo, de apreço, em que o valor material da lembrança não é levado em conta, mas a personalização. Discos, vídeo, doces, um fumo especial, uma planta são perfeitos.

A razão escolhida para oferecer este presente lhe conferirá mais valor. A volta de viagem, um prêmio conquistado, a *performance* brilhante num seminário e uma promoção são momentos que chamam mais atenção para o gesto do que o Natal ou a data de aniversário.

Entre colegas, o presente pode ser o reconhecimento de um gesto amistoso. Há pessoas que adoram presentear e não é preciso retribuir o presentinho de Natal dado por um companheiro. Obrigatório é agradecer, e um presente de retribuição, enviado ao escritório ou à residência, pode ser referido, mais tarde, num encontro casual, a quem o enviou.

LISTAS

Casamentos, aniversários e até uma viagem motivam fazer uma lista para comprar um presente a um colega. Usa-se, numa relação totalmente informal, oferecer um cheque a quem vai viajar ou está montando sua casa. Dinheiro em cheque ou em espécie deve ser entregue sempre envelopado. Não é descortesia deixar de entrar na lista. Há quem deseje oferecer uma lembrança individual ou não pode arcar com a despesa extra.

Ao colocar as assinaturas no cartão, é simpático incluir o nome dos colegas mais modestos, como o contínuo do departamento, sem solicitar a contribuição dele. Em muitas listas, não aparecem as assinaturas. Simplesmente "... dos companheiros do Setor X da empresa Tal". É o mais elegante quando não houver unanimidade de participação.

FICHÁRIO

À relação dos clientes de uma empresa deve ser acrescentado a personalidade de cada um e o presente que lhe foi oferecido em determinada data, para evitar as repetições. Quando se oferece lembranças a várias pessoas que convivem entre si, elas podem ser do mesmo valor, porém diferentes.

FLORES

O ideal para uma empresa é dispor dos serviços de uma única florista para atender à diretoria, cujos membros freqüentemente enviam flores. Não só em datas especiais mas até em agradecimento a um jantar. Os executivos bem educados sabem que nas relações profissionais existe uma maior formalidade e as flores bem apresentadas são a melhor expressão da gentileza ou mesmo de um pedido de desculpas. Exemplo? Derrubar o copo de vinho e manchar a toalha da mesa é motivo para uma empresária enviar flores, no dia seguinte, à anfitriã.

✓ É comum um executivo/executiva comparecer a uma festa e quem fez o convite ter sugerido que levasse a namorada/namorado ou um amigo. Ao enviar as flores à anfitriã, assina só o convidado e o correto é seu companheiro/companheira enviar flores, no dia seguinte, agradecendo.

✓ Há uma regra geral de *savoir faire* que veta a uma mulher enviar flores a um homem, mas há exceções. A diretora de uma empresa ou a esposa do diretor enviam flores para o escritório de um de seus gerentes, numa data especial que envolva diretamente o departamento por ele chefiado ou pela conquista de um prêmio.

As viagens também oportunizam dar presentes aos companheiros de trabalho. (Ver DE MALA PRONTA.)

Brindes

São presentes também, personalizando a empresa e não a pessoa que vai recebê-los. Houve uma transformação muito grande em sua filosofia. Os brindes se tornaram menos agressivos como mensagem publicitária e mais utilitários, não sendo qualificados pelo valor material, mas pela idéia original que gera o efeito. Ao oferecer um brinde, o ideal é que esteja numa caixa, por menor que seja, com o logotipo da empresa ou um *design* especial. Evita-se empacotar um brinde, como se faz com um presente exclusivo.

Negócios à Mesa

Na literatura gastronômica, encontram-se muitos dos elementos que garantem a harmonia nas reuniões em torno de uma mesa bem servida, tanto num banquete, na residência de um executivo ou num restaurante. A *Fisiologia do Gosto*, de Brillat Savarin, livro de meditações sobre gastronomia, escrito no século XVIII, é até hoje a bíblia dos gastrônomos que nela recolhem interessantes pensamentos.

As máximas de Brillat Savarin integraram-se à etiqueta, porque é comendo que melhor se revela o nível de educação de uma pessoa. "Dize-me o que comes que eu te direi quem és." Como comer e valorizar um prato significa um processo de sensibilidade e comportamento que segue a etiqueta.

A História registra que a mesa de refeições se tornou um meio para o exercício do poder. "A sorte de muitos povos foi decidida num banquete, inclusive as conspirações" escreveu Savarin. "Não houve na França um grande acontecimento que não tenha sido concebido, preparado e ordenado num festim", lembrou ainda.

O paladar estimulado predispõe ao otimismo e, numa conversa de negócios, o clima ameno ajuda a quebrar as tensões. O que é servido à mesa é importante para se conseguir esta atmosfera agradável e um cardápio pesado ou o excesso de bebida podem atrapalhar o jogo de influências.

No mundo atual, não há tempo a perder, até pela preservação das horas de lazer, reconhecidas como ponto de equilíbrio para o desempenho profissional. Os minutos devem ser bem aproveitados e longos almoços, em caráter profissional, não são mais aceitos.

Café da Manhã

Em função do melhor aproveitamento do tempo, o *breakfast* passou a ser uma forma muito prática de encontro comercial. Começou na Casa Branca, em Washington, com o Presidente recebendo convidados, dando o exemplo para os executivos de Wall Street. Um café da manhã comercial pode começar às 7h30min.

Indústrias estão adotando o café da manhã para lançamento de produtos pelas vantagens que oferece. Além de economizar o tempo de seus participantes, custa mais barato que um almoço e pode ser tão ou mais categorizado, dependendo do modo de arrumar o bufê e o serviço. Mais prático é usar da infra-estrutura de hotéis, mas há empresas que promovem cafés da manhã em seus próprios restaurantes ou numa sala de reuniões com serviço contratado fora.

Anfitriões e convidados que terão de falar muito durante a reunião matinal, antes de sair de casa costumam tomar um café com leite. Durante a reunião, só tomam café preto e comem muito pouco.

A pontualidade dos convidados é rigorosa. Marcado para as 8h30min , em 10 minutos, anfitriões e convidados sentam-se à mesa. (Segue-se o mesmo critério de distribuição de lugares de um almoço ou jantar.) O sucos são logo servidos e, havendo palestra, audiovisual ou desfile, a atração ocorrerá quando o café tiver sido servido, evitando o vaivém dos garçons. Usa-se nos cafés da manhã mais festivos, servir champanhe ao final, seguindo exemplo europeu e americano, em hotéis de luxo. O brinde virá após a atração , no.final da reunião.

CARDÁPIO

Na apresentação do cardápio básico de um café da manhã em hotel de categoria, com bem montados bufês, está implícita a sequência de como as pessoas fazem o auto-serviço. Tantas opções de salgados e doces causam algumas dúvidas para quem não está habituado ao desjejum fora de casa. Por mais refinado que seja o cardápio, ele integra a refeição mais informal do dia.

Cardápio básico

1. Sucos
2. Frutas, sucrilhos com leite e equivalentes
3. Omelete
4. Pães, fiambres, manteiga, geléias. Café com leite. Chá ou Chocolate.
5. Cucas e bolos. Panquecas com geléia. Biscoitos. Doces em calda, tortas.

✓ Nos lugares na mesa do café – *mis-en-place* – a xícara e o pires podem estar em cima do prato de servir e o primeiro gesto do comensal, depois de colocar o guardanapo no colo, é deslocar pires & xícara para a direita do pratinho. O copo para o suco ficará acima, entre o pratinho e o pires & xícara. Em muitos bufês, os copos estão junto às jarras para o cliente se servir.

✓ Ao levantar da mesa, para ir ao bufê, deixa-se o guardanapo em cima da toalha, à esquerda do prato.

✓ No bufê, há pratinhos para as frutas e os sucrilhos. Estes são servidos em tigela ou prato fundo, vertendo-se o leite em cima. Ao voltar à mesa, o recipiente do sucrilho é colocado em cima do pratinho e não diretamente sobre a toalha.

✓ Ao terminar de comer, a colher não ficará dentro da tigela, mas no prato de baixo. O garçom retira, mas se o serviço for moroso, ao levantar para ir de novo ao bufê, o comensal deixa o prato usado à sua esquerda, na mesa.

✓ Depois das frutas, sucrilhos e omelete, é servido o café com leite. Pães e fiambres são servidos em outro pratinho. Os americanos, porém, tomam café simultaneamente com todas as comidas, várias taças durante o *breakfast*.

ALMOÇOS

Quando é organizada uma convenção incluindo várias refeições, deve haver o cuidado de estabelecer uma harmonia entre elas. Se no café da manhã foram servidas panquecas, no almoço elas não serão repetidas, mesmo com outros recheios. De preferência até o pãozinho do *couvert* será diferente ao do café da manhã. O *couvert* é ideal para estes almoços, dá tempo para uma conversa mais amena e, quebrando o apetite, evita que as pessoas comam em maior quantidade os pratos consistentes.

A comida deve ser de leve digestão, porque depois do almoço todos voltarão ao trabalho. Carnes gordas são preteridas em favor de filés, frango, vitela, peixe e camarões. Às vezes não é por falta do talento de um palestrante que o público fica bocejando à hora da sobremesa, mas sim pelo cardápio pesado. As sobremesas serão frescas, de preferência sorvetes e doces de fruta que não levem natas.

Alimentos difíceis de comer, peixe com espinhas, por exemplo, devem ser eliminados de um cardápio de executivos. O ideal são escalopes de carne, filés fáceis de cortar, mas há nutricionistas que recomendam, após uma reunião com grandes discussões, servir um assado para que mastigando bastante o comensal tenha suas tensões liberadas. O cardápio deve incluir alimentos que contenham proteínas, carboidratos e sais minerais, garantindo as energias para o dia de trabalho.

Oferecer pratos típicos a convidados estrangeiros é uma medida perigosa. O ideal é uma comida acessível a todos os paladares, num cardápio que inclua requinte.

Nas reuniões-almoços de entidades de classe, o serviço é iniciado assim que o mestre-de-cerimônias faz a abertura, para poupar tempo.

Nos almoços executivos são programadas três etapas, tendo em vista o tempo mais limitado: uma salada com folhas e legumes não repetidos na guarnição do prato principal, este em duas opções (peixe ou ave) e uma sobremesa ou à escolha no bufê de doces. O cardápio bem elaborado reúne pratos tendo em vista também o colorido para garantir um bonito visual. Mas não é só: a comida para ser apetitosa deve cheirar bem. Aqui algumas sugestões de restaurantes brasileiros para cardápio de almoço executivo.

Cardápios

– I –

Carpaccio de vitela com vinagre balsâmico e pimenta rosa
Tagliatelle com aspargos, camarão e tomates com manjericão
Costeletas de cordeiro com risoto de cogumelos
Bavaresa de morangos
(*La Vecchia Cucina,* São Paulo)

– II –

Salada de quatro verdes, camarão e manga
Escalope de frango com sálvia e orégano. Batatas Deauphinoise
Torta de sorvete crocante com zabaione
(*Massimo,* São Paulo)

– III –

Mousse de salmão com salada Waldorf
Frango Imperial com champignons, purê duquesa e arroz à grega
Profiteroles com molho de chocolate
(*Le Bon Gourmet,* Porto Alegre)

– IV –

Salada de salmão ao vinagrete de nozes
Filé mignon fatiado às três pimentas
Torta de queijo
(*Pérgula,* Copacabana Palace)

– V –

Salpicão de presunto e legumes
Frango ao champanhe com maçã noisette e champignons.
Arroz com amêndoas
Sobremesas brasileiras (doces com frutas da época)
(*Maria Theresa Weiss,* Rio)

– VI –

Carpaccio
Filé à la brioche com molho de escargot
Banana flambé com sorvete de baunilha
(*Piantella,* Brasília)

- VII -

Salada Indiana
Linguado Bonne Fèmme
Opera de Café
(*Grand Hotel Rayon*, Curitiba)

✓ Nas reuniões-almoço de entidades de classe, o serviço é iniciado assim que o mestre de cerimônias fizer a abertura, para poupar tempo.

❑ Uma nota sofisticada pode ser o *sorbet*, um sorvete preparado com fruta cítrica e claras batidas em neve, estas evitando a formação dos cristais de gelo. É o chamado tira-gosto, depois da entrada, como preparação ao prato principal, sem interferência de sabores e temperos anteriores. O *sorbet* é apresentado numa tacinha, pequena porção (menor que a de sobremesa). Não contém ingredientes nutritivos (leite, gema, farináceos) pois sua função é deixar o estômago mais disponível. Este tira-gosto é mais indicado para jantares, quando o serviço pode ser mais prolongado.

Menu de Jantar

Camarões ao Havaí
Sorbet de limão com gotas de menta
Vitela com molho Marsala e batatas ao creme com passas
Crepes de sorvete de baunilha ao molho de chocolate

❑ Na elaboração de um cardápio de jantar, tanto no restaurante como na residência de um dos executivos anfitriões, é preciso avaliar a programação dos convidados durante o dia. Se houve almoço consistente, opta-se por alimentos mais leves à noite, o que deveria, aliás, ser uma medida de rotina. O homenageado, que viaja cedo no dia seguinte, preferirá carne de frango ou peixe a molhos picantes que são lembrados ainda à hora do café da manhã.

Menus/Cartões

Para a eficiente organização de um almoço ou jantar, usam-se os cartões – *table cards* – marcando o lugar do convidado na mesa. (Ver QUESTÕES DE PROTOCOLO) A medida varia de 5 a 9 cm ou menor, mas o cartão será, de preferência, duplo, para ficar de pé, exceto se houver o porta-cartão, em cristal, acrílico ou metal, com uma fenda para fixá-lo.

O cardápio, um caderninho ou cartão, medindo 14 cm de altura por 10 de largura, fica na linha dos cálices, porém no lado esquerdo do prato do convidado. Usa-se também um cardápio para cada dois convidados, entre um e outro lugar. Organizações que recebem com freqüência podem ter capas de cardápios prontas, com o logotipo, combinando com o convite. Basta caligrafar na capa o nome do convidado e inserir uma folha dupla de papel de boa qualidade, presa àquela por um cordão de seda. À esquerda constará: Jantar em homenagem a Fulano de Tal. Abaixo o local e a data. O cardápio é escrito à direita.

COQUETEL

É o sistema mais usado em reuniões festivas e o cardápio dependerá da infra-estrutura do local. Muitas vezes as lojas não possuem cozinha e o serviço precisa ser bastante simplificado. As bebidas e os salgados harmonizam-se com o motivo da reunião e, em alguns casos, o produto a ser promovido. Numa loja de roupa para o público *teenager*, ainda que a faixa etária adulta predomine entre os convidados, pode ser servido um refrigerante com minicachorros quentes e canapés de queijo como alternativa. Um uísque de qualidade é sempre oportuno.

Promotores mais sofisticados de eventos comerciais aconselham a não oferecer coquetéis e drinques com muitas misturas e enfeites exóticos. É dificil controlar a qualidade do rum e do leite de coco de uma *piña colada* servida em grande quantidade. A decoração de sombrinhas e outros enfeites na borda do copo têm seu habitat num hotel à beira-mar e não num coquetel de negócios, em meio urbano.

É ainda a infra-estrutura do local que determina o tipo de guardanapos. Num restaurante, usa-se guardanapo de papel só na hora dos drinques (ideal é ter o logotipo da empresa anfitriã), para os convidados pegarem o copo gelado ou um salgadinho. No bufê com pratos frios e quentes, os guardanapos são de tecido.

NO RESTAURANTE

É preciso ter certeza da qualidade do restaurante ao levar convidados para um almoço ou jantar profissional. Não precisa ser categoria cinco estrelas, mas deve ter bom nível quer ofereça cozinha internacional ou típica. Quem paga a conta terá o cuidado de não cometer excessos: não ser extravagante nem mesquinho na escolha do cardápio e do vinho. A ostentação, num ambiente de negócios, pode chocar e o melhor caminho é o equilíbrio. Se a verba de representação não permitir um bom restaurante, é preferível convidar para um *happy-hour* ou um café da manhã em local de categoria.

✓ Na vida social é comum dividir a conta. Na vida dos negócios quem tem o interesse em vender ou aquele que desfruta da melhor posição é quem paga. Um gerente deve justificar na sua empresa o que gastou; o diretor da empresa, não. Daí parte também o critério daquele que está convidando.

✓ Um executivo menos graduado não toma a iniciativa de convidar seu chefe para almoçar, nem precisará retribuir algum convite que aquele lhe tenha feito. Mas agradecerá sempre, ao terminar o almoço.

✓ Aquele que convida deve deixar claro que pagará a conta. A frase que não deixa dúvidas: "Você é meu convidado". Ele chega antes deste e, de preferência, a reserva da mesa e a forma de pagamento foram tratadas por telefone. Não sendo assim, quem assume a despesa levanta-se, à hora do cafezinho e vai até o caixa. Ele combina que a nota seja cobrada na empresa ou paga ali mesmo, no final da refeição.

✓ O anfitrião, se não houver local de espera ou um bar, não bebe à mesa, antes dos convidados chegarem. Por isso, é preferível escolher um restaurante com bar para os drinques de espera e reunião do grupo.

❑ O lugar da mesa é importante para dar um clima propício ao almoço de negócios. As mesas de centro, com o vaivém dos garçons e das pessoas que circulam em volta, não são as mais indicadas. Uma mesa junto à parede, na zona nobre do restaurante, com boa visibilidade, é bem melhor, pois sentar-se frente a frente permite que os sinais não-verbais e a expressão fisinômica ajudem na comunicação.

✓ As maneiras de um encontro social são seguidas, com maior rigor ainda, num almoço de negócios. Não pedir os pratos mais caros do cardápio se o anfitrião não o fizer e aguardar que todos na mesa estejam servidos para começar a comer faz parte deste comportamento (*Etiqueta na Prática.*)

✓ Em almoços de entidades de classe, mesas muito grandes, os comensais devem portar-se em relação a quem está sentado mais próximo, como se estivesse numa única mesa. À chegada do homenageado ou alta autoridade, todos os participantes devem levantar. (Muitas vezes, por não haver um *hall*, quem chega vai sentando, o que não é correto.)

✓ Se uma senhora se aproximar da mesa para falar com um dos executivos, este e os que estiverem mais próximos levantam, enquanto ela estiver conversando. Por isso, uma mulher apenas cumprimenta os amigos que estão à mesa.

✓ Dar gorjeta faz parte do *savoir vivre*. Em geral, está incluída na conta, 10 a 15 %, mas o *mâitre* que conseguiu uma boa mesa deve ser gratificado, ao final. Quanto? 10% sobre a despesa. O garçom comissionado recebe apenas 5%. Quanto maior a categoria do restaurante, mais generosa é a gorjeta.

✓ Às vezes é difícil estipular estas quantias e isto é feito discretamente, mas ainda se vêem pessoas deselegantes usando a máquina de calcular na mesa. Um gesto imperdoável em homens de negócios habituados a lidar com contabilidade.

O Essencial nos Vinhos

É de bom-tom ter algumas noções sobre vinho e ele pode ser um atraente assunto de conversa num jantar de negócios, ajudando a descontrair contatos mais formais. A partir da pergunta para a escolha da bebida – tinto ou branco? – é fácil encaminhar o assunto para as preferências do interlocutor, e quase todos se sentem lisonjeados quando estimulados a discorrer sobre elas, e também gostam de trocar informações.

Os vinhos são muito sensíveis e grandes *connaiseurs* sabem que nem todos os tintos podem ser servidos na temperatura ambiente (entre 16 e 18 graus) como é a regra geral. Alguns italianos trazem até no rótulo a recomendação. Um *Beaujolais* jovem é degustado quase gelado, a 12 graus, enquanto os tintos mais encorpados, feitos para envelhecer na garrafa, agradam à temperatura ambiente ou *chambrer* (termo francês, à temperatura do quarto). Os tintos mais jovens, para consumir logo, são valorizados pelas temperaturas mais baixas.

Os brancos secos devem estar gelados, 10 a 12 graus. Os mais ligeiros podem estar mais gelados, de 6 a 8 graus. Abaixo de 6 graus é difícil sentir o buquê e os vinhos menos confiáveis ou doces (a baixa temperatura ameniza o açúcar) podem estar bem gelados. Em caso de dúvida, é recomendável deixar mais gelado, pois é fácil que, no cálice, adquira a temperatura ideal para o tipo de vinho.

A quantidade no cálice também revela o *savoir faire* de quem está servindo. O vinho tinto deve preencher apenas um terço a meio copo, deixando espaço para o aroma se expandir.

Numa refeição, os vinhos mais leves precedem os mais encorpados (os brancos antes dos tintos), os de qualidade inferior precedem os superiores. Mas o champanhe *brût* pode ser o único acompanhando um cardápio. Numa seqüência de vinhos, o champanhe aparece à hora da sobremesa. Em tese, não se oferece vinhos *rosés* numa mesa de *connaisseurs*, porém diante de um *Rosé D'Anjou* ou um *Matheus Rosé* se faz exceção.

✓ Saladas e alimentos com vinagre não casam com vinho. Tão pouco pratos muito temperados com curry e outras iguarias mais fortes.

✓ A regra geral é que os vinhos brancos acompanhem carnes brancas e frutos do mar; os tintos as carnes vermelhas e massas. Isto deixou de ser um dogma e, na prática, a escolha é mais à vontade: numa noite muito quente pode-se preferir um vinho branco gelado com um prato de carne. Importante é que se tome o mesmo vinho com o qual uma comida foi preparada. Seria como uma mulher misturar dois perfumes.

✓ É o anfitrião que prova o vinho a ser servido, em casa ou no restaurante. Não havendo garçom, ele próprio serve, no máximo um dedo, de vinho no seu cálice. Não sorve de uma só vez, mas aos poucos, e a degustação deve ser feita na ponta e nas laterais da língua, mais sensíveis à acidez e ao açúcar. Só então ele aprova, pede mais gelado ou pode reclamar da presença de pós da rolha. Uma mulher sozinha, que tem seus convidados à mesa, fará a degustação.

✓ Recomenda-se guardar os vinhos numa adega ou armário, em local escuro, seco e fresco, com as garrafas deitadas e o gargalo ligeiramente mais elevado para impedir que o líquido toque na rolha.

✓ Ao comprar vinhos estrangeiros, não se deve optar por um "vin de table"francês ou um "tatelwein"alemão, vinhos de mesa que, em seus países de origem, são considerados de carregação. O mesmo não vale para um "vino de tavola", pois há vinhos italianos excelentes com esta denominação.

✓ É comum dizer "chin-chin" – palavra chinesa que significa felicidade – ao bater os cálices de vinho e as taças de champanhe para fazer os brindes. Bastante conhecida é a expressão *vin d'honneur* para reuniões comemorativas quando é servido vinho e apenas salgadinhos.

✓ O vinho do Porto desfruta das mesmas regalias do champanhe e, assim como *vin d'honneur*, existe a expressão portuguesa Porto de Honra, em geral servido após a sobremesa. Há uma tradição que a garrafa do Porto não pode ser oferecida da direita para a esquerda e os ingleses, os maiores consumidores deste vinho português, são fiéis à regra: *Port never goes to right!*

O Charuto Marcando Ocasião

O charuto é emblemático, como um refinamento masculino para marcar certas situações. É caro e pode custar US$ 10 a unidade. O final de um almoço é quando os homens mais formais oferecem charutos para selar um bom negócio. Se houver senhoras, pedem licença. Assim como cigarro, o charuto pode ser recusado. Gafe é agradecer e colocá-lo no bolso para levar para casa. Um jovem executivo que deseja aceitar um charuto, para não fazer vexame deve lembrar algumas regrinhas.

✓ A ponta é cortada com tesoura especial e há mini-estojos – para quatro charutos – com o cortador junto, como sinal de categoria do fumante. Ele só oferecerá aos companheiros se o grupo não exceder a quatro pessoas.

✓ O charuto não deve ser tragado, pois além da percepção gustativa estar na língua, a fumaça agride os brônquios (muito mais forte que o cigarro). O gosto do tabaco se torna mais agradável bem acompanhado por um conhaque ou um Armagnac.

✓ O charuto jamais é apagado no cinzeiro, pois provoca um cheiro desagradável. É abandonado quando resta um terço dele, deixado num cinzeiro para morrer dignamente, como dizia Winston Churchill.

No Escritório

O executivo que costuma oferecer cafezinho e chá para visitantes sem uma infra-estrutura de bar na sua sala – o que repecute mal – pode optar por utensílios padronizados, mas de qualidade. A porcelana com o logotipo da empresa é padrão A, especialmente as xícaras para quem toma chá e café. Muitas pessoas não apreciam tomar cafezinho em xícara de cerâmica e quem valoriza o chá não dispensa a taça de porcelana. É como beber um bom vinho em copo de vidro tosco.

Usa-se guardanapo nas bandejas apresentadas no escritório? O guardanapo de tecido é sempre sinal de *status,* mas se a bandeja for de metal, tampo com estamparia de *design,* não há necessidade de guardanapo. O ideal é oferecer os guardanapinhos individuais com a marca da empresa. Talheres também devem ser de qualidade, nada mais desconfortável do que uma colher de cafezinho áspera.

Modos ao Comer

O conhecimento técnico pode ser conquistado com relativa facilidade, mas o manuseio correto de garfo e faca exige treinamento diário. Quem não aprendeu em criança, vai consegui-lo pela observação e vale a pena. Contribui para a conquista de uma boa imagem pessoal.

Ser comedido nas quantidades de comidas e bebidas numa refeição em caráter profissional é sinal de adequação. Em almoços, bebe-se muito pouco vinho e há homens que preferem tomar só vodca, como aperitivo, com a vantagem de não comprometer o hálito.

No treinamento de pessoal, uma boa medida é sugerir que assistam ao filme dinamarquês *A Festa de Babette* que, além de ser um clássico do cinema contemporâneo, e contribuir para a cultura daqueles que devem manter conversação sobre assuntos gerais, estabelece a distinção entre alimentar-se e saber comer. "Os animais se nutrem, mas só o ser humano come conscientemente", diz Brillat Savarin.

Uma *Coquille Saint Jacques* é mais gostosa se for apresentada numa concha e com os talheres adequados. Comer o figo com garfo e faca como faz o General, no filme *A Festa de Babette,* é saber honrar uma fruta nobre. Uma revisão do capítulo *Atitudes à Mesa* em ETIQUETA NA PRÁTICA é uma garantia para quem está disposto a fazer uma auto-análise de seu comportamento ao comer.

O Teste Decisivo

✓ Cotovelos próximos ao corpo, para cortar a carne, pegar a faca com os dedos polegar e indicador sobre o cabo e os outros pressionando sobre a concha da mão. O garfo na mão esquerda. Esta é a única posição correta e jamais um talher é seguro de modo a ficar na vertical sobre o prato. Aos canhotos aceita-se a posição inversa dos talheres.

✓ Espalitar os dentes é considerado um ato higiênico. Realizado em público é sumamente deselegante. O não-uso do palito, mesmo que esteja à mesa ou na bandeja da refeição no avião, qualifica um executivo. Correto é espalitar os dentes no toalete, após a refeição.

✓ Terminado o almoço ou o jantar, o guardanapo é colocado, sem dobrar, à esquerda do prato servido.

No serviço à francesa, a travessa é oferecida à esquerda do comensal, este pega a colher grande com a mão direita, levantando a carne e as guarnições, auxiliado pelo garfo.

✓ A colher do sorvete ou do creme, ao concluir a sobremesa, é deixada no pratinho sobre o qual está a taça. O mesmo vale para a taça de *consomé*: a colher fica no pires.

✓ Antes de beber, passe o guardanapo nos lábios, para não deixar marcas nódoas de gordura na borda do cálice, durante uma refeição.

✓ Nos restaurantes internos das empresas, é comum deixar as louças e talheres no balcão, próximo ao carrinho térmico. Ao servir-se da sopa no prato fundo, este vai sobre um prato de servir, para não ser colocado direto sobre a toalha da mesa.

✓ O pãozinho do *couvert* é partido sempre com os dedos. A faquinha é usada só para untar manteiga ou patê no pedacinho de pão.

Compotas de pêssego e sobremesas com molho e frutas come-se com garfinho e colher.

De Mala Pronta

Num aeroporto, conhecem-se os homens e as mulheres que viajam em caráter profissional por alguns sinais: o traje mais sóbrio (em geral eles de gravata, elas de *blazer*), de pasta e uma valise de mão, sem bagagem despachada. Nos vôos internacionais, há outro sinal: estão sem a máquina fotográfica a tiracolo que os japoneses difundiram no mundo inteiro como o acessório do turista.

Na verdade, um executivo, mesmo que esteja desacompanhado, não viaja sozinho: a empresa vai com ele. Nas viagens profissionais, muitos abrem espaço, no final, para uns dias de lazer. Com isso, não misturam os interesses (Quem consegue estar descontraído se ainda não resolveu o objetivo de sua viagem?).

Madrugadas, drinques, poucas horas de sono, prejudicam o desempenho, na manhã seguinte. Nas viagens aéreas, um outro fator deve ser levado em conta: a diferença do fuso horário. Os japoneses, muito metódicos, prevêem 48 horas de adaptação antes de comparecer a uma reunião em que devem tomar decisões. Numa viagem de negócios, o esquema deve ser mais minucioso do que nos programas exclusivamente de lazer, o tempo é curto e visitar várias cidades pode significar conexões aéreas muito ágeis.

Precauções Para Viajar Bem

Durante a preparação de uma viagem, é freqüente ter de trocar de horário e até datas de vôos. A relação do executivo com seu agente de viagem deve ser muito clara. Em geral, o contato é feito por telefone, pela secretária, e é fácil ocorrerem malentendidos. Muitas das confusões, em viagem, começam aí, por isso, a comunicação por fax é sempre o melhor.

A primeira providência de uma empresa – de pequeno a grande porte – é ter uma agência confiável com agilidade para arrumar, de última hora, lugar num vôo que a companhia aérea diz estar lotado. O que o passageiro não consegue facilmente, seu agente de viagens agiliza através das chamadas reservas técnicas de lugares que as companhias dispõem. Diante das viagens decididas de última hora – típico da vida empresarial – o ideal é manter certa fidelidade com uma agência.

Em relação ainda à passagem, deve-se prestar atenção às mudanças de horário à entrada das estações. O passageiro que teve seu bilhete marcado antes daquela mudança precisa conferir na agência local o horário certo da saída do avião. Aliás, em todo vôo internacional é sempre conveniente telefonar na véspera para ter a confirmação, o que as próprias companhias recomendam. Um meio de viajar tranqüilo também é fazer o seguro-saúde, que cobre qualquer emergência até das despesas de traslado, por doença ou morte.

Ao viajar pela primeira vez ao exterior, deve-se colher algumas informações regionais. O assunto não é sempre negócios ou temas de um congresso e as amenidades fazem parte das conversas. Mostrar interesse pelo que acontece na cidade é revelar boa educação. Saber a população, as zonas turísticas (mesmo não havendo tempo para um *tour*), os ídolos mais populares, artistas e aspectos culturais marcantes ajuda muito. Num país que cultive o futebol, caberá lembrar algum jogo que tenha realizado com a seleção brasileira.

Toda tentativa de dizer no idioma local as palavras mais triviais de cortesia – obrigado, por favor, com licença, muito prazer, bom dia, até logo – causa boa impressão. Para isto, um dicionário de bolso – tradução e versão – estará sempre à mão.

Intérprete

Em geral, um executivo viaja acompanhado e, não falando inglês, pode recorrer a um dos colegas. Sem esta possibilidade é preferível pedir um intérprete a falar mal. O estrangeiro, percebendo que seu interlocutor entende um pouco e até diz algumas palavras em sua língua, passa a considerá-lo mais.

Ao contratar um intérprete, este deve ser avisado do traje adequado à ocasião, para que não distoe. Tratando-se de dois empresários de alto nível, o intérprete fica atrás deles, mas o mais comum é sentar-se entre eles. Se o trabalho do intérprete foi muito bom, cabe gratificá-lo.

Ingressos de teatro

Quem aprecia teatro e concertos, visitando uma cidade pródiga em programações, é sempre melhor informar-se antes de viajar se há algum espetáculo que interesse. Com cartões de crédito adquire ingressos, aqui mesmo, porém muitas vezes os anfitriões encarregam-se disto. Quem paga?

O visitante, quando faz o pedido, deixará claro que a despesa corre por sua conta, mas mesmo assim podem não cobrá-la. É um presente. Havendo solicitação para dois espetáculos, pode ocorrer que os ingressos sejam acompanhados por um cartão da empresa anfitriã: "Teremos grande satisfação que aceite ser nosso convidado para a récita de Turandot." Ficou claro que se responsabilizam apenas por uma noite.

A Mala

A mala é uma companheira respeitável e é capaz de perturbar uma viagem. Precisa ter qualidade e estar perfeita. Ela faz parte também da aparência de um executivo que, sem escolher as malas chamativas de moda, opta pelos modelos mais práticos de categorizadas marcas. Nas viagens domésticas, por dois dias, a mala de mão é suficiente. Oferece segurança, evita perda de tempo junto às esteiras de bagagem e muitos chegam a viajar ao exterior, por poucos dias, só com sua malinha.

As malas duras, de bela aparência (preferidas pelos japoneses), mantêm as roupas perfeitas mas, em compensação, pesam muito. Não é conveniente colocar roupa demais e depois tentar pressionar muito a tampa porque não fecha. Estas malas exigem, no entanto, certa consistência do conteúdo, pois vazias, com outras por cima, podem rachar. De uso mais versátil são as malas de náilon, estruturas firmes, tendo divisões externas com zíper.

É raro um grupo de executivos usar o logotipo da sua empresa nas malas, preferindo não chamar atenção. Nas etiquetas de identificação, o nome fica para o lado de dentro, e muitos não usam – por medida de segurança – colocar o endereço residencial, só o da empresa. Põe-se, também, dentro da mala um cartão de identificação, para o caso de extravio.

É fácil, nas chegadas, pegar uma bagagem errada, por isso viajantes experientes evitam as trocas fixando em sua mala uma fita colorida, um escudo ou outro sinal.

Guarda-roupa de Viagem

Os mesmos critérios para a seleção de um guarda-roupa de turismo seguem-se para uma viagem de caráter profissional, resumindo-se na praticidade dos materiais (roupas que não amarrotem) e na adequação dos trajes com os ambientes e a situações. É preciso conhecer bem o programa, as condições climáticas, o estilo de cidade e o tipo de hotel.

Quando se trata de convenções, convites feitos com meses de antecedência, os empresários experientes, antes de viajar, resolvem suas dúvidas com as assessorias, principalmente quando as senhoras são incluídas. (Ver CÓDIGO VISUAL)

As convenções americanas são mais descontraídas, mas sendo em Nova Iorque ou Atlanta, o ambiente exige mais formalidade no traje. Já em Miami, os executivos vão sem gravata. O termo gala, exigido numa programação nos Estados Unidos ou na Europa, pede uma leitura especial. Para eles, gala não significa, como no Brasil, *smoking*, mas sim terno escuro para os homens e traje recepção para as mulheres.

Muitos passageiros, principalmente de primeira classe, gostam de viajar de abrigo e tênis, confortavelmente, se não estiverem sendo aguardados no aeroporto. Aos viajantes recomenda-se cuidar da aparência, principalmente ao enfrentar a alfândega, por ser um referencial muito forte na avaliação de um latino- americano.

Guarda-roupa para quinze dias
Clima: meia estação e frio

Para viajar	Conjunto básico saia ou calça preta com blusão de material flexível. Blazer em tweed, com bolsos. Sapato preto salto baixo. Bolsa grande. Cinturão de tecido, porta-dólares sob a roupa
Roupas	1 tailleur coordenável, 1 mantô clássico (dia e noite), 1 impermeável, 2 blusas de seda mista, 2 camisetas lisas coloridas, 1 vestido liso (noite)
Lingerie	2 camisolas curtas e 1 robe, 2 mudas de lingerie-dia, 1 chinelo de tecido
Malhas	1 conjunto de saia e casaquinho, 1 suéter, 1 abrigo (para estar no hotel)
Acessórios	3 pares de sapatos (um deles para noite), 6 pares de meia, 2 bolsas (a grande e a chanel social) sempre com uma meia de emergência, 2 cintos bem diferenciados (sem fivelas pesadas)

❑ O *necessaire* com os cosméticos depende muito do estilo de organizar a bagagem. Há mulheres e homens que gostam de bolsinhas individuais, uma para os produtos de toalete, a outra para os remédios (esta vai sempre na bolsa de mão). São mantidas sempre prontas para uma viagem imprevista. Outros optam por estojos de vários compartimentos, a partir da estrutura de um pequeno cabide. Chegando ao hotel é só pendurar no banheiro. Este mesmo sistema é usado para meias e *lingeries*, mas ocupa mais espaço na mala.

✓ Não podem ser esquecidos:

Secador de cabelo e ferrinho de passar para ela, pois mesmo em hotéis cinco estrelas, depois das 20 horas, é difícil conseguir quem passe uma roupa.

Adaptador de tomada (*plug*) para aqueles aparelhos e o barbeador, pois em vários países utilizam-se tomadas diferentes à nossa.

Minicostureiro, clipes, fita colante, tesoura, lápis e canetas.

Guarda-Roupa do Homem

É bem mais fácil de compor. O ponto de partida é, numa viagem curta, levar sempre uma camisa e uma gravata diferentes para cada dia, o traje de viagem integrando a coordenação. Para um compromisso formal, de terno escuro, muitos empresários usam o cabideiro de mão, fora da bagagem despachada. Algumas companhias são muito exigentes na classe turista: apenas a bolsa e um volume de bagagem de mão.

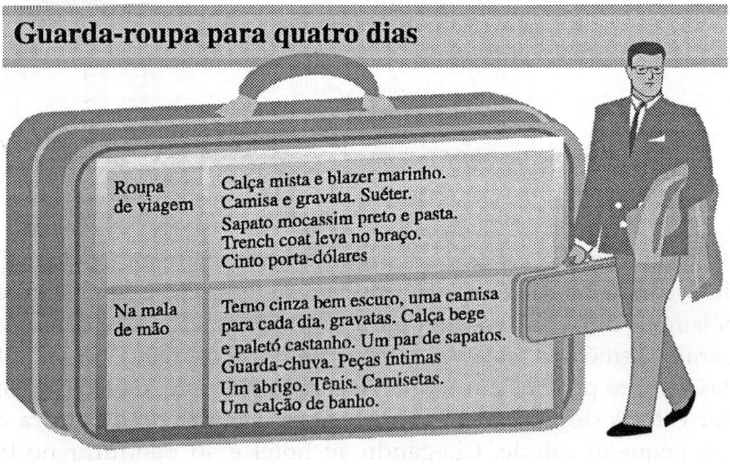

Como Arrumar a Mala

Um dos segredos para ter tranqüilidade e aproveitar melhor o tempo ao viajar é não deixar para a última hora a arrumação da mala. Bom é escolher as roupas com antecedência, deixando-as separadas no armário, os sapatos nos saquinhos plásticos. À véspera de viajar, a mala pronta, no final da noite, significa o aproveitamento total de uma manhã livre, se o vôo for à tarde. Dá para fazer um *tour* pela cidade, visitar um museu ou ir às compras.

Pensando nos fins de semana, de folga, durante a viagem de negócios, é muito prático colocar no fundo da mala uma sacola de náilon, que não ocupa espaço. A mala grande é deixada no depósito do hotel ou do aeroporto, e a sacola acolhe as poucas peças para dois dias. Na volta ao Brasil, ela será usada com as compras e os presentes.

O talento se manifesta até ao fazer uma mala, multiplicando o espaço e mantendo as peças em perfeito estado ao chegar. Também existe estilo de arrumar mala. A maioria dos turistas dobra as camisas como vêm da lavanderia – uma sobre a outra, na direção contrária, para preservar o espaço dos colarinhos. No centro são colocados suéteres de malha dobrados também. Existe um estilo mais sofisticado de arrumar as roupas na mala que vale a pena treinar, adotando algumas destas indicações.

✓ Forra-se a mala com duas tiras de plástico transparente, uma para o sentido da largura, outra para o comprimento, deixando bastante sobra nas extremidades, como se faz nas caixas, para cobrir, todo o conteúdo. Este plástico é uma proteção da umidade, no caso de as malas ficarem expostas à chuva.

✓ As calças dobradas no caimento do vinco são colocadas no fundo, a parte do cós subindo, como um forro da lateral da mala, com uma folga acima; a outra extremidade da calça cobrindo apenas a extensão do fundo da mala. Uma segunda calça é disposta ao contrário. Saias ficam por cima das calças e, no caso das longas, se faz a mesma coisa que na calça, deixando a parte do cós "sobrando" na lateral da mala.

✓ Com camisas também se pode adotar o mesmo sistema, ficando as mangas para fora da mala, nas laterais. Paletós são transpassados (sem abotoar), as mangas dispostas exatamente nas costuras, deixando as ombreiras sem dobrar. As lapelas são desdobradas, inclusive na gola e também transpassadas. Depois é dobrar o paletó uma vez.

✓ Os espaços destas camadas de roupas são preenchidos com malhas e blusas dobradas, bolsas, sapatos, etc. e, por fim, as extremidades que estavam para fora da mala (das calças, saias e mangas de camisas) cobrem todas as roupas. Por este processo que exige prática, muita gente explica porque ao retirar as roupas da mala, nada precisa ser passado a ferro.

✓ Nos hotéis com água fervente no chuveiro, pode-se "passar" uma roupa com perfeição. É pendurá-la num cabide do banheiro, deixar correr a água do chuveiro e fechar a porta. O vapor é o melhor ferro de passar.

✓ As roupas sujas são dobradas também (para não ocuparem espaço maior) e envoltas em plástico.

✓ Vale a pena manter a mala fechada a chave. Para evitar perda de tempo procurando estas pequenas chaves, é muito bom colocá-las sempre dentro de uma niqueleira em cor viva (facilmente identificável), fechada com zíper. Fica na bolsa de mão ou no bolso.

No Avião

Num grupo de executivos, cada um leva sua mala de mão e não é preciso oferecer-se para carregar a do empresário líder. Com as mulheres a conduta é quase a mesma. No momento de levantar a mala para colocar na balança ou retirá-la da esteira, elas podem ser auxiliadas por um colega gentil. Muitas executivas, ciosas de sua independência, não se sentem à vontade com estes gestos, atribuídos ainda ao machismo.

Quem sobe primeiro na escada do avião, quando o grupo se aproxima do embarque, é o líder. Os lugares estão marcados, e aos menos graduados cabe deixar que aquele se acomode primeiro. É válido, quando dois companheiros não tiverem seus lugares lado a lado, pedir ao comissário de bordo que peça a um dos passageiros para trocar de lugar.

Em viagens curtas, nos jatinhos particulares, há quatro lugares atrás, de dois em dois, como se fosse uma salinha, e mais três, na frente, atrás do piloto. Nos primeiros, ficam as pessoas mais importantes do grupo.

No filme *O Turista Acidental*, uma das situações comuns durante um vôo é abordada com bom humor: a do chato que insiste em conversar com o vizinho de poltrona, mesmo que este continue lendo seu jornal. O que fazer? Responder com monossílabos, sem ser grosseiro, e voltar à leitura. Ficar lendo o jornal do vizinho, por cima do ombro dele, acaba importunando. O correto sérá pedi-lo quando ele terminar de ler.

Comendo a Bordo

A bandeja não é pretexto para esquecer as boas maneiras. O espaço limitado, na classe turista, exige que os cotovelos de quem está comendo fiquem "pregados" ao corpo para não importunar o passageiro ao lado. Também se deve pensar na pessoa sentada atrás, acionando lentamente o botão para mudar a posição da poltrona.

O *savoir faire* é revelado ao deixar para comer o queijo com a bolachinha ou a torrada, depois do prato principal, antes da sobremesa, aproveitando o mesmo vinho *Bordeaux* servido com os escalopes de carne, é um hábito francês. Na bandeja há sempre palitos. Toda pessoa bem-educada sabe que ele não é usado à mesa e sim levado ao toalete, pois espalitar é um ato higiênico, o mesmo que escovar os dentes.

As condições de um serviço de bordo têm aspectos peculiares. Não é um restaurante. Viajando em classe turista e executiva, não se chama o comissário a toda hora para repetir bebidas. Estas são incluídas na passagem e, não sendo oferecidas, pede-se apenas uma segunda dose. Em algumas companhias internacionais, nos vôos de menor duração, as bebidas são extras, cobradas na hora. Independente destes detalhes, os executivos procuram nas viagens de negócios não beber além da dose de equilíbrio, precavendo-se de qualquer indisposição que possa alterar o ânimo ao comparecer a uma importante reunião.

Terminando de comer, é de bom-tom deixar a bandeja em ordem, sem parecer arrumadinha. Papéis e envólucros dentro dos recipientes, os talheres de metal juntos e o guardanapo de tecido ajeitado no lado esquerdo. Pode ficar com queijinhos e geléias que não tocou? Se no turista este comportamento é aceitável, num executivo, não. Pressupõe-se sempre que ele se hospede num bom hotel e não necessite ter um gesto ingênuo como este.

ATITUDES ACIMA DE MIL METROS

Soa muito antigo os homens de negócios assediarem as aeromoças. Nem elas nem os comissários podem ser chamados com um "psiu", mas sim pela campainha, acima da poltrona. Toda reclamação é mais eficiente por escrito, e no próprio avião existe uma ficha de avaliação, em geral na bolsa da poltrona. Reclamações maiś sérias é a empresa ao qual o passageiro pertence que deve enviar. A tendência é de só se dar ao trabalho para reclamar. Por que não elogiar o que merece? Assim, o executivo acaba conquistando créditos a seu favor cada vez que voar nessa companhia.

PARA NÃO PERDER TEMPO

A primeira coisa é não ter vergonha de perguntar. De chegada, deve-se pedir no hotel o jornal do dia, um mapinha para se localizar na cidade. Antes de sair para um encontro, saber qual é o bairro, se é distante, o melhor roteiro de acordo com o tráfego. Ao entrar num táxi, o motorista terá mais respeito pelo passageiro que sabe dar alguma indicação. Se não falar o idioma, mostra o endereço por escrito, melhor ainda apontando no mapa. Cuidado, no entanto, em não fazer isto com ruas e avenidas muito conhecidas: o motorista fica ofendido. Há o exemplo de um *chauffeur* francês que quando a passageira tentou explicar onde era o Museu d'Orsay respondeu: "O que a senhora está pensando? Trabalho há mais de 30 anos em Paris. Deixe isto para os motoristas estrangeiros."

O ENDEREÇO COM STATUS

A escolha do hotel é muito importante para a conceituação de um empresário que chega a uma cidade. É seu endereço, sendo preferível economizar em alguns gastos a diminuir o número de estrelas. Também se revela estilo ao escolher um hotel:

um profissional interessado em passar uma imagem mais conservadora fica num estabelecimento de tradição.

Os hotéis de categoria possuem assessoria de relações-públicas atuante. Sem o consentimento do hóspede, não divulgará à imprensa que ele se encontra na cidade. Faz parte da ética hoteleira. Já executivos, especialmente interessados na divulgação de seu nome na imprensa, usando de tato, podem dizer ao relações-públicas do hotel que não há inconveniente em informar sua presença. O que não deve pensar é de usar a assessoria de um hotel como sua.

Da Rotina Hoteleira

Para chegar, a cada noite, com uma companhia feminina diferente é conveniente informar-se da política que o hotel adota em relação aos casais eventuais. Muitos hotéis não permitem e o hóspede e sua acompanhante ficam sujeitos ao vexame de serem barrados ao entrar no elevador. O homem que deseja ficar acompanhado durante sua estada, ao fazer seu registro pedirá um *double room*.

As pessoas que viajam muito tem histórias a contar, nem sempre agradáveis. Nos hotéis acontecem roubos. Ao ser constatada a falta de um ou vários objetos (por dinheiro nenhum hotel se responsabiliza, se estiver fora do cofre), a comunicação deve ser feita logo, para que sejam tomadas as providências cabíveis.

Mas ocorrem esquecimentos. Uma brasileira hospedada num hotel cinco estrelas, em New Orleans, ficou agitada por não achar, na hora de arrumar a mala, sua pulseira de ouro. Comunicou à portaria e, junto com um funcionário do hotel, começou a vasculhar o quarto. Ele achou a pulseira. Estava no fundo da gaveta superior do armário. Muito constrangida, ela então lembrou que escondera a jóia para evitar roubo. Se não tivesse feito a reclamação na hora, a pulseira provavelmente teria se perdido mesmo.

Caixa de Segurança

O dinheiro em espécie, ao ser depositado no cofre da portaria do hotel, deve ficar envelopado e lacrado, a cada retirada, deixando com a data a quantia restante e sempre com testemunha. Muitos turistas tiveram o dissabor de levar o envelope e, ao contar o dinheiro, constatar que faltava uma nota a cada grupo de dez notas de cem dólares. As viagens de caráter profissional com programação social fazem com que as mulheres levem jóias, até como sinal de status. Serão depositadas no cofre, sob a responsabilidade do hotel.

GORJETAS

Em viagem, os turistas de classe média adotam a filosofia de não dar gorjeta em locais que têm certeza nunca mais voltar. Com restaurantes isto pode dar certo, mas em relação a hotéis é diferente e usa-se sempre dar gorjeta ao chegar e, no meio do período, quando o tempo de hospedagem for maior. Porém, um executivo que representa uma empresa não pode parecer mesquinho. A começar pelo táxi: 10 a 15% é a percentagem da gorjeta. Nos hotéis, aquele que leva a bagagem e conduz o hóspede até o quarto recebe de dois a 10 dólares. Executivos que usam muito o serviço de telefone e fax devem gratificar este pessoal, ao chegar, com 10 a 15% da diária. Pouco se vêem as camareiras e os turnos variam. Se não houver um serviço especial, elas não estranham em ficar sem gorjeta. (São proibidas de tocar em dinheiro deixado num cinzeiro ou em cima da mesa, e só recebem gorjeta em mão.) O garçom que traz um lanche ao quarto recebe 10% da despesa. O porteiro-capitão ganha um dólar ou mais, se teve de buscar o táxi distante do hotel.

Nos restaurantes de hotel, é importante dar gorjeta ao *maître*. É ele que escolhe a mesa do hóspede. Há executivos que marcam reunião de negócios para o café da manhã: podem durar meia ou duas horas. Mesmo que a gorjeta esteja incluída no serviço (na dúvida, pergunta-se sempre) um bom atendimento merece o plus, a partir de 5% da despesa.

Nos Estados Unidos, em restaurantes de alto nível, usa-se dar 20% da despesa, divididos entre o *maître* e o garçom. Ao *sommelier* (recebe o pedido dos vinhos) é dado de três a cinco dólares por rolha. A *lady-room*, que cuida dos toaletes, recebe de meio a um dólar. Na chapelaria, costumam dar também um dólar.

Em teatros, na Europa, a gorjeta de meio dólar é obrigatória para aqueles que distribuem os programas e conduzem o espectador até o lugar. Em Nova Iorque, podem até aceitar a falta de troco e não ganhar gorjeta, mas, em Paris, a *pourboire* (gorjeta) é exigida e se passa até vexame. Quem não tiver moedas, pode dar uma nota de 10 dólares que dão o troco com naturalidade.

Se a gorjeta mesquinha repercute mal quando o executivo está em grupo, ultrapassar os limites e chegar à ostentação também causa má impressão. O exibicionismo não é benquisto pelos homens de negócios. A cena de Woody Allen em *Sonhos de um Sedutor* dando gorjeta em valor três vezes superior ao da despesa numa lancheria, para impressionar a garçonete que ele queria namorar, é uma caricatura de ostentação que não se pode esquecer.

No Restaurante

Mesmo que o convite parta do visitante, ele confia a escolha do restaurante ao seu convidado que, morando na cidade, sabe onde mais gosta de jantar e o local mais conveniente para a ocasião. Pode também ser pedida ao convidado a sugestão dos melhores pratos da casa, mas a decisão final (ele é que vai pagar) será do visitante.

O melhor referencial de um menu harmonioso recolhe-se do jantar que aparece no filme *A Festa de Babette*. Apenas para ilustrar, porque seria muita ostentação segui-lo à risca, a começar pela excelência dos vinhos.

Menu de Babette

Sopa de Tartaruga	Amontillado
Blinis Dermmidoff	Champanhe Veuve Clicquot 1860
Sarcófagos de Codornas	Vinho Clos Vourgeot 1847
Queijos	Água
Babá au Rhum (bolo de frutas)	Champanhe
	Licores

A COLHER DO GOURMET

No Brasil, ela ainda não está difundida, mas famílias mais tradicionais que possuem faqueiros de prata do século passado, importados da Europa, possuem estas colheres e não sabem a que se destinam. Elas estão presentes, raramente, nas mesas de restaurantes franceses e italianos da nova cozinha. Em Punta del Este, fazem parte dos talheres colocados na mesa de um de seus melhores restaurantes franceses.

É uma colher para uso individual, com um desnível no começo do cabo que garante espaço para recolher o molho de uma massa ou de um assado. É colocada à direita do prato, junto da faca e da outra colher, havendo sopa. Como usá-la? Depois de comer a carne ou a massa, em vez de colocar um pedacinho de pão na ponta do garfo para honrar o molho, usa-se a colher do gourmet como se "raspasse" o prato.

COMENDO NO ORIENTE

A mesa, em alguns países orientais, pode reservar momentos embaraçosos ao paladar do brasileiro diante de um prato como ensopado de carne de cobra. Deve comer? Manda a boa educação que o prato não seja recusado, e uma maneira diplomática é ficar mexendo com os talheres e, de vez em quando, colocar uma porção na boca. Faz parte dos negócios engolir muita coisa que não se gosta.

Na China, junto com o prato individual vêm pratinhos de acompanhamentos que são divididos com os demais comensais. Foram os chineses que inventarem a "quentinha" ou "doggy bags", isto é, levar para casa a sobra da comida do restaurante, o que é fora de cogitação num almoço de executivos. A origem deste hábito, introduzido na América, é da antiga China, quando numa determinada época era ofensivo aos anfitriões não levar para casa alguma sobra do banquete.

Dependendo da clientela, alguns restaurantes orientais, em seus países de origem, colocam à mesa garfos e facas ao lado dos "pausinhos", *hashi* (em japonês), *chopstiks* (em inglês). É sempre um sinal de delicadeza os visitantes ocidentais manusearem os *hashi*, demonstrando conhecimento e interesse pela cultura do país. Por isso, é conveniente treinar antes de viajar. Não é muito fácil.

Os japoneses têm suas regras de boas maneiras ao comer. Uma delas é não deixar os *hashi* dentro da tigela, depois de comer (equivale a deixar a colher na taça ou na xícara para a mesa ocidental). Os destros pegam-nos com a mão direita, segurando a tigela com a esquerda e os *hashi*, ao final, não devem ser colocados cruzados, mas lado a lado sobre a mesa, em sentido horizontal, sobre o sustenta-talheres.

✓ A tigelinha do arroz fica à esquerda e a da sopa à direita, na frente do comensal, e a de arroz (pega-se com as duas mãos) é colocada numa bandejinha de madeira. Não se passa a tigela da mão direita para a esquerda.

✓ O arroz e a sopa são comidos alternadamente. De acordo com a tradição japonesa, quem deseja repetir o arroz deixa um grãozinho na tigela. Ao terminar a refeição a palavra de agradecimento e elogio é Gochiso-sama (Comi muito bem).

Como segurar o hashi superior

Segure-o entre os dedos polegar, indicador e médio, mova-o para cima e para baixo.

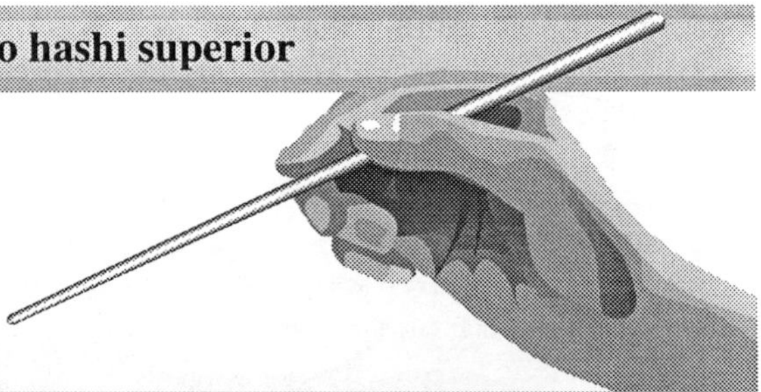

Como segurar o hashi inferior

É mantido parado, preso na curva do polegar.

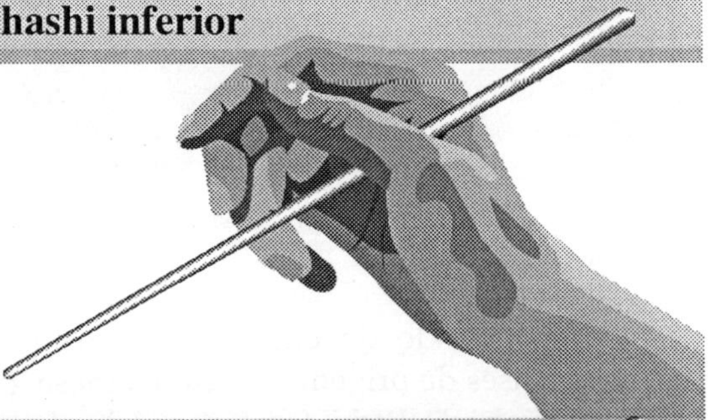

Como pegar a comida

Mantenha o hashi de baixo parado e mova o superior na direção do dedo indicador, de modo que eles se toquem.

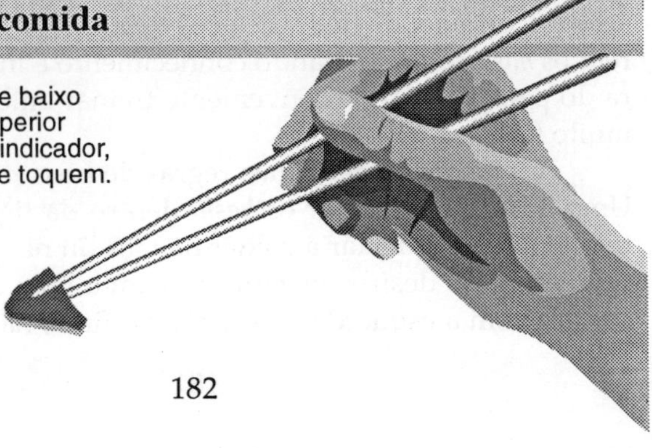

A Mulher Jantando Só

Há executivas que ficam constrangidas a jantarem sozinhas num bom restaurante, obrigando-se a um lanche no quarto do hotel. Elas, sem razão, seguem ainda um conceito machista. Após um dia de trabalho, uma mulher de negócios merece comer bem, num local agradável. Para sentir-se mais segura deve telefonar reservando mesa para uma pessoa, dando seu nome completo e o da empresa para a qual trabalha. Muitos restaurantes ainda não aceitam mulher sozinha e a reserva, feita deste modo, tira qualquer dúvida de não se tratar de alguém em busca de ocasião para programas.

Quem está sozinha não deve se sujeitar a ficar em mesa mal localizada e, para isso, pode precisar dar boas gorjetas. Levar uma agenda ou um livro, para ler nos momentos em que aguarda ser servida, ajuda a descontrair, mas ao jantar num local chique, está fora de cogitações levar um jornal. (É bom lembrar que bolsa, livros e revistas não ficam em cima da mesa, mas sim numa cadeira, que o garçom providencia.) Se ela ficar todo o tempo de olhos baixos, desperta maior curiosidade e transmite a idéia de insegurança, tornando-se mais vulnerável. Há mulheres independentes que ficam em dúvida ao aceitar o convite gentil de um desconhecido para tomar um drinque, no bar do hotel. Se estiver interessada, por que não? Fica implícito que ele paga o primeiro drinque, mas se ela pedir mais um coquetel, dirá que este será por sua conta. O companheiro insistindo, deixará que ele pague e não pedirá mais nada, ficando na dose certa.

Presentes e Souvenirs

São os países orientais que mais cultivam o hábito de presentear seus visitantes com peças típicas. Por isso, até mais que o turista, quem viaja profissionalmente deve preocupar-se em selecionar pequenas lembranças. No Brasil é fácil, pois nosso artesanato é muito rico, com sugestões de *souvenirs* que sensibilizam muito as pessoas de países do primeiro mundo.

O que levar? Pedras semipreciosas que, no exterior, são caras e muito apreciadas e aqui não significam custo alto. Uma pequena pirâmide de ágata, "geradora de maior energia para quem a toca" faz sucesso, oferecida pessoalmente, explicado seu simbolismo. Estes presentes, cujo valor maior é seu significado, nem precisam ser embrulhados.

O humor, sem ser grosseiro, cabe num presente, dependendo para quem é. Um brasileiro que comparece a um seminário de criatividade em Nova Iorque pode oferecer uma caixinha de guaraná em pó, traduzindo o que está escrito no rótulo. Fitas de música popular, vídeos de desfiles de Carnaval fazem sempre sucesso, já cigarrilhas e cachaça agradam bastante aos europeus mais descontraídos. Uma lembrança sempre oportuna para mulheres são guardanapos e trabalhos manuais nordestinos. Conhecendo o estilo da pessoa é bem fácil agradar com um pequeno presente.

Quando se vai reencontrar uma pessoa, ele é dado à chegada, mas em geral estas pequenas atenções ficam para o final. Depende muito da oportunidade: visitas no escritório, jantares em residências são ocasiões para levar presentes. Secretárias que auxiliam nas intermediações ficam felizes com uma lembrança e, nos contatos posteriores, lembrarão com mais simpatia daqueles que lhe fizeram a gentileza. Conversando, descobrem-se os colecionadores, como a secretária de uma empresa alemã que disse a uma empresária brasileira adorar camisetas com estampas e dizeres do Brasil.

As Compras

Ao sair do aeroporto internacional, no Brasil, recomenda-se pesquisar os preços nas lojas de *free-shop* e anotá-los, para comparar nos locais de origem. E mais, há perfumes que as mulheres gostam de encomendar aos maridos que não são encontrados nos *free-shops.* Passando por uma loja e vendo na vitrina uma roupa ou um objeto que se goste muito, é comprar logo, pois é sempre difícil voltar e encontrar a loja.

Quem vai pela primeira vez à Europa é bom saber: em Paris predominam as roupas femininas, em Londres, as masculinas, nas cidades italianas é meio a meio e na Alemanha, como nos Estados Unidos, há de tudo um pouco e se compra muito bem nas lojas de departamento. Inclusive para casa. No Oriente e Extremo Oriente a barganha é livre, porque não há preços fixos.

Trazer *souvenirs* de viagem para os companheiros de trabalho faz parte de um programa. Com pouco tempo para compras, o executivo que viaja muito pode alternar ou aproveitar as datas de aniversário de um colega naquele período e trazer um ou dois presentes de cada vez. Uma boa filosofia – e isto vale muito para quem tem família grande – é só comprar um presente se, olhando uma vitrina, pensar "Fulano adoraria". Não perde tempo com listas e tem certeza de acertar. As lembranças não precisam estar empacotados para presente, mas todo mundo gosta de receber numa sacola ou envoltas no papel da loja. O sabor local fica mais acentuado.

Há empresários que aproveitam as viagens para fazer um pequeno sortimento de presentinhos interessantes para os amigos, a serem oferecidos em oportunidades futuras. É um excelente investimento e pode até mencionar ou escrever no cartão que fora adquirido em tal país e guardado para uma pessoa muito especial, apresentado numa embalagem para presente, sem vinculação à loja no exterior.

Frases

Selecionadas das entrevistas realizadas para este livro

Antonio Murena Junior, publicitário, diretor de atendimento da Quality Marketing Promocional Ltda.

"Enxergar o óbvio é um dom que o executivo tem que ter. As pessoas querem ter a visão macro e passam por cima do óbvio, mas ele é que faz a gente se conscientizar de cada pedaço para fazer o todo."

Carlos Omar Bertero, Ph.D. (Cornell University), professor titular de Diretrizes Administrativas e chefe do Departamento de Administração e Recursos Humanos da Fundação Getúlio Vargas.

"O ambiente na FGV é eminentemente tolerante e os alunos se vestem como querem. A maioria já traz de casa a educação, então não temos a preocupação de ensinar aspectos formais. Eles começam a mudar o estilo de vestir, no quarto ano, quando iniciam os estágios nas empresas: os moços adotam o *blazer* em gravata, elas o vestido.

Celso Lafer, Ph.D. (Cornell University), professor titular de Filosofia do Direito da USP, ex-ministro de Relações Exteriores.

O que diferencia uma pessoa da outra é a sua aparência, o modo de aparecer para a outra. Como toda relação empresarial é intersubjetiva, entre duas ou mais pessoas, a forma pela qual um empresário aparece é importante e marca uma dimensão da sua identidade.

Dagoberto Lima Godoy, diretor-presidente da Abasa, presidente da Fiergs.

"A etiqueta moderna não significa repetir maneirismos, mas é uma maneira de adoçar e propiciar um melhor relacionamento. Numa sociedade permissiva como a brasileira, escorregadas na educação podem impedir que um indivíduo vá melhor nos negócios. Em outras culturas, isto poderá ser fatal."

Edna Pires Lodi, advogada, diretora da J.B. Lodi Consultoria, especializada em empresa familiar.

"Os pais tendem a falar que só acertaram e isto é um peso para os filhos que, noentanto, devem saber aproveitar o potencial que têm na mão para ir mais longe. A preparação de um jovem líder começa por saber ouvir e contar até dez antes de fazer uma proposição numa reunião."

Fernando de Barros, editor de moda masculina da Editora Abril.

"O terno e gravata é o uniforme de quem atua no mundo dos negócios, mas há uma imaginação grande e muito esperta em todos os executivos em sua utilização. Estimulados pela nova gramática da moda, eles jogam com elementos e cores, dentro de um equilíbrio."

Flávio Antonio Corrêa, Presidente da Ogilvy & Mather Latino América.

"A empresa moderna tem que ser transcultural e não mais multinacional e assim deve ser o executivo para comunicar-se. Falar o idioma local produz enormes vantagens negociais e um potencial executivo deve, no mínimo, dominar o inglês e o espanhol, os dois idiomas mais importantes do mundo moderno."

Francisco de Araujo Santos, Ph.D. (Columbia University), professor titular de Recursos Humanos e Organizações do Departamento de Ciências Administrativas da UFRGS.

"A empresa é uma reunião de mentalidades, começando pelo porteiro, pelo operário de chão da fábrica e indo até o presidente. A linguagem comum das boas maneiras dá a base para o convívio harmonioso e franco entre essas diversas maneiras de ver o mundo. É o passo inicial da ética que cimenta a organização."

Gil Gonçalves, presidente da Associação de Jovens Empresários de Porto Alegre.

"Para ter sucesso é preciso assumir uma postura centrada nas boas maneiras, agindo com naturalidade. Para chegar a isso, além da experiência e da observação, muito pode ajudar um livro baseado na realidade das relações profissionais."

Gregory Ryan, Presidente da Restco Comércio de Alimentos S.A. (McDonald's).

"As boas maneiras são a parte essencial de prestação de um bom serviço e planejar o tempo também tem muito a ver com isto. Agenda de trabalho é algo sagrado e uma hora marcada é um compromisso."

Jayme Sirotsky, presidente do conselho de administração da RBS (Rede Brasil Sul) e presidente da ANJ (Associação Nacional de Jornais).

"No Brasil, temos o mau hábito de descumprir horários, ao contrário dos americanos, europeus e asiáticos que chegam a ser doentios em matéria de pontualidade. Chegar atrasado, além de descortesia, atrapalha uma reunião já em andamento."

Jorge Gerdau Johannpeter, diretor presidente do Grupo Gerdau.

"A empresa tem que ser uma obra de arte, com grande respeito pelo cliente, o que só acontece quando toda a organização estiver voltada para isso, os companheiros tendo entre si a mesma atitude. Como os processos são vistos a longo prazo, os executivos devem se conduzir com elegância e não se admite desrespeito a um subordinado."

Lalá Aranha, Presidente da A.A.B. Ogilvy & Mather Relações Públicas Ltda.

"Em momento algum foi difícil para mim fazer carreira, pelo fato de ser mulher. A empresa onde me fixei tem por norma valorizar as pessoas e temos várias mulheres presidentes. Existe, no entanto, uma diferença no modo de encarar o desempenho do homem e da mulher: dele se aceita melhor um erro, de nós se espera a perfeição."

Luiz Carlos Mandelli, vice-presidente do CNI (Conselho Nacional da Indústria) e ex-presidente da Fiergs.

"Um jovem executivo, além de competente, precisa ter tranqüilidade, separando o fundamental do acessório pois, na vida moderna, as conversas são diretas e não há vez para o tipo falastrão. Por isso, a linguagem e a escolha do vocabulário é essencial à comunicação."

Marcos Vinicius Pratini de Moraes, presidente da ABE (Associação Brasileira de Exportadores) e ex-ministro da Indústria e Comércio.

"Três características definem o perfil do empresário moderno: multifuncionalidade, internacionalização e menos formalismos nos encontros de negócios. Em seu comportamento é preciso uma permanente revisão pois, em geral, os de muito êxito costumar ter um desprezo filosófico pela opinião alheia. Isto é um erro e o sucesso vai durar pouco."

Nelson Pacheco Sirotsky, diretor-presidente da RBS (Rede Brasil Sul).

"A construção de um perfil de sucesso também se alicerça em gestos rotineiros: respeitar horários, ser educado, elogiar as pessoas coletivamente e criticá-las individualmente. Sempre aparecem oportunidades para pequenos gestos especiais, em atenção a pessoas que se sentirão homenageadas."

Rose Benedetti, diretora da Rose Benedetti Bijoux e ex-diretora da Associação Comercial de São Paulo.

"Eu acho que a executiva, em seu visual, deve tender para o informal, arrumada sem exageros. Os valores mudaram e a gente se veste como se sente bem, o estilo de roupa correspondendo a um estilo de vida."

Yeda Crusius, economista e ex-ministra do Planejamento.

"Pessoa investida em cargo público não deve aceitar presentes. O que no setor privado é encarado como uma delicadeza, no setor público pode ser considerado como corrupção."

Entrevistados

para o levantamento de pautas deste livro

Afonso Motta, Ana Lúcia dos Reis, Angela Shiromaro, Antônio Murena Junior, Aristides Germani Filho, Beth Diefenthaeler, Cristiane Petry, Catherine Lafay, Carla Zen, Celso Lafer, Carlos Omar Bertero, Claudia Fialho, Cesar Vargas, Claudia Aragon, Cristina Tessari, Dagoberto Godoy, Doris Spohr, Edi Fracasso, Edna Pires Lodi, Eduardo Müller, Fernando Bandeira, Fernando de Barros, Flavio Antonio Corrêa, Francisco de Araujo Santos, Geraldo Corrêa, Gil Gonçalves, Gregory Ryan, Heitor Kraemer, Hugo Pinto Ribeiro, Jayme Sirotsky, Joaquim Carvalho Faria, Jorge Krahe, Jorge Gerdau Johannpeter, José Antonio Pinheiro Machado, Izabella Saks, Lalá Aranha, Luiz Carlos Mandelli, Luiz Inácio Franco Medeiros, Marília Vianna, Maria Lucia Cescon, Maria Thereza Druck Bastide, Maria Thereza Weiss, Martha Fortuna, Moacyr Kruchin, Máximo Ferrari, Marcos Vinicius Pratini de Moraes, Nadege Lomando, Neca Aranha, Nelson Pacheco Sirotsky, Otávio Marschall, Paulo Franco dos Reis, Pedro Simch, Pedro Chaves Barcellos, Rosana Beni, Rose Benedetti, Rui Porto, Sergio Arno, Sergio Domingos, Sergio Oxer, Schoichi Tsuchia, Sonia Kraemer, Waleska, Wilma Araujo Santos, Xico Gonçalves, Yeda Crusius, Zenia Dirani.

BIBLIOGRAFIA

BALDRIGE, Laetitia. Complete *Guide to Executive Manners.* Rawson Associates, 1985.

BERNHOEFT, Renato. *Administração do Tempo.* Nobel, 1985.

___________. *Trabalhar e Desfrutar.* Nobel, 1991

BLOCK, Peter. *Gerentes Poderosos.* Mc Graw Hill.

BOTELHO, Eduardo Ferreira. *Do Gerente ao Líder.* Atlas, 1991.

CARVALHO, Marcelino de. *A Arte de Beber.* Companhia Editora Nacional, 1967.

CURNONSKY. *Cuisine et Vins de France.* Paris, Librairie Larousse, 1953.

DEBRETT. *Etiquette & Modern Manners.* The Times, 1981.

DESLAURIERS, Nicole. *L Étiquette en Affaires.* Editions Quebec, 1991.

DHOQOIS, Regine, org. A Polidez. L&PM, 1993.

FRANK, Milo O. *Como Apresentar suas Idéias em 30 Segundos ou Menos.* Record, 1986.

GALVÃO, Saulo. *Tintos e Brancos.* Ática, 1992.

HOLTZ, Herman. *The Executives Guide to Winning Presentations*. John Wiley & Sons, 1991.

KASPARY, Adalberto J. *Correspondência Empresarial*. Prodial, 1990.

LAFER, Celso. *Hanna Arendt*. Paz e Terra, 1979.

LANVIN, Bernard. *Le Guide de L'Elégance au Masculin*. Hachette, 1987.

LEWIS, David. *The Secret Language of Success*. Nova York, Carroll & Graft Publishers, 1989.

MARGERISON, Charles J. *Conversando a Gente se Entende*. Saraiva, 1992.

MOLE, John. *When in Rome*. Amacom, 1991.

PHILLIPS, Linda e Waine. *Executive Etiquette*. Doubleday, 1990.

POST, Elizabeth L. *Emily Post on Business Etiquette*. Perennial Library, 1990.

REAL, Mauro Corte. *Os Bons Vinhos do Sul*. Sulina, 1991.

RIBEIRO, Celia. *Etiqueta na Prática*. L&PM, 1991.

RIBEIRO, Lair. *O Sucesso Não Ocorre Por Acaso*. Objetiva.

SATRAN, Pamela Readmond. *Dressing Smart*. Doubleday, 1990.

SCHNEIDER, Sergio Paulo. *Cerimonial e Protocolo*. Sulina, Ari.

SEMLER, Ricardo. *Virando a Própria Mesa*. Best-Seller, 1991.

SPEERS, Nelson. *Cerimonial para Relações Públicas*. Hexágono Cultural, 1984.

STEWART, Marjabelle Young. *The New Etiquette*. St. Martin's Press, 1987.

THOMSETT, Michael C. *The Little Black Book of Business Etiquette*. Amacom, 1991.

TURCOTTE, Pierre R. *Q.V.T. La Qualité de Vie au Travail*. ARC - Université du Quebec, 1988.

WEISS, Donald. *Como Falar em Público*. Nobel, 1991.

ÍNDICE REMISSIVO